MADAME CHRYSANTHÈME

Du même auteur
Dans la même collection

AZIYADÉ
MADAME CHRYSANTHÈME
LE MARIAGE DE LOTI
PÊCHEUR D'ISLANDE
LE ROMAN D'UN ENFANT

PIERRE LOTI

MADAME CHRYSANTHÈME

Édition établie
par
Bruno VERCIER

GF Flammarion

ISBN : 978-2-0807-0570-9

PRÉFACE

Un roman japonais

A propos du livre qu'il est en train d'écrire — *Madame Chrysanthème* — Loti parle, dans son « Journal » (le 1er février 1887) de « roman japonais », c'est-à-dire d'un roman dont l'action se passe au Japon. Mais il faut aussi l'entendre dans un autre sens, celui d'un livre où s'épanouit une tendance constante de l'art de Loti : écrire un ouvrage où il ne se passe (presque) rien. Non pas faire « un livre sur rien » selon l'idéal de Flaubert, mais un livre débarrassé de ce qui, d'habitude, caractérise un roman : personnages inventés, intrigue dramatique, péripéties multiples, etc. Cet aspect, Loti le souligne d'ailleurs dans le texte lui-même pour prévenir le désarroi du lecteur accoutumé à des canevas un peu plus étoffés : « Ici, je suis forcé de reconnaître que, pour qui lit mon histoire, elle doit traîner beaucoup [...] A défaut d'intrigue et de choses tragiques [...] A défaut d'amour [...] » (Chap. XVI.)

Ce livre qui n'est au fond que digressions, puisqu'il est dénué d'intrigue principale, ce livre décentré, désorientant, est, pour son auteur, bien à l'image du Japon : « Mais l'interruption saugrenue est absolument dans le goût de ce pays-ci [...] Rien n'est plus japonais que de faire ainsi des digressions sans le moindre à propos. » (Chap. XI.) Japon qui, s'il faut en croire la dédicace, est l'un des trois personnages principaux du livre : « Il est bien certain que les trois principaux personnages sont *Moi,* le *Japon* et l'*Effet* que ce pays m'a produit. »

Et Chrysanthème alors ? elle ne sera qu'un rôle, certes le plus long, mais un rôle uniquement : elle est l'épouse japonaise, rôle fonctionnel qui permet à Loti de prendre pied à terre, d'avoir une maison japonaise, de vivre à la japonaise, de découvrir ce pays — et de le raconter. Un nouveau « mariage de Loti » après les amours avec Aziyadé, avec Rarahu *(Le Mariage de Loti)*, avec Pasquala *(Fleurs d'ennui)*... une femme dans chaque port, le marin qui débarque, rencontre, aime, et puis repart, dans le déchirement de la séparation ? Avec la mort en prime, quelquefois, pour elle ou pour lui, ou même les deux à la fois. Rien d'aussi pathétique dans *Madame Chrysanthème* : ne pas confondre avec *Madame Butterfly*. Il n'y a ni désir ni passion dans le livre de Loti, et les librettistes de l'opéra d'André Messager seront bien obligés d'en injecter une dose suffisante pour contenter les amateurs d'opéras [1].

Dès son premier contact avec l'Asie, Loti écrivait : « Le premier intérêt de curiosité passé, je n'aimerai jamais ce pays, ni aucune créature de cette triste race jaune [2]. » Il n'est donc guère surprenant qu'il n'éprouve aucune attirance réelle ni pour Chrysanthème ni pour le Japon ; à la différence de ce qui s'était passé avec l'Islam ou avec Tahiti, aucun désir de l'autre, aucun désir de devenir autre. Ne désirant pas, Loti reste à l'extérieur. Faut-il pour autant le taxer, comme on l'a souvent fait, de racisme et de colonialisme, lui qui ne s'est jamais senti à l'aise qu'en compagnie d'êtres différents, par la classe sociale ou par la couleur de la peau ? Le désir ne s'explique guère et n'a pas à se justifier. Dans *Le Roman d'un enfant*, Loti constate que, dès l'enfance, il a eu le goût des petites sauvageonnes au teint hâlé [3]. D'un côté, pour l'amitié, les duchesses ou les matelots, et, de l'autre, les Aziyadés pour la passion : il n'y a pas de place, dans ce schéma répétitif, pour ces « mignonnes poupées » que sont les femmes japonaises dans le regard de Loti. Chrysanthème a beau avoir sur ses compagnes l'avantage d'une peau « cuivrée », elle est quand même — ô les contradictions du fantasme ! — une de ces « petites femmes à peau jaune » — qui ne sauraient provoquer la passion. Trop civilisée, trop artificielle, elle l'ennuie, elle l'exaspère : il ne la trouve belle que de dos, ou endormie... En l'épousant il s'est conformé à un rituel, celui des marins occidentaux, et il y est mal à l'aise. D'ailleurs, les ménages des autres marins eux aussi, très vite, battent de l'aile. Le seul qui soit raisonnable est « l'ami de très haute taille » : étant déjà passé par là, il se méfie, il n'épouse plus. Ces petites créatures amusantes, souriantes, incompréhensibles, il n'y a pas de quoi en faire un drame.

La tentative de faire surgir celui-ci en installant la jalousie ne donne rien non plus : Yves — ce bon frère Yves — est vraiment trop respectueux de la hiérarchie, et ce n'est pas en jouant à pigeon-vole avec Chrysanthème et ses amies qu'il rendra son commandant jaloux, et que pourra se nouer le moindre « imbroglio de roman » (p. 165). Le Japon rend inopérantes les vieilles recettes romanesques et Chrysanthème, loin de mourir d'amour devant « la mer calmée », préfère vérifier le bon aloi des piastres qu'elle a gagnées... Femme lisse, pays incompréhensible, totalement Autre : le romanesque, si romanesque il y a, sera autre également, naissant des rapports du Moi avec le Japon.

Un récit exotique

Le seul vrai drame, la seule action, est en effet celle du préjugé, de l'altérité, de la compréhension, de la découverte, du rejet. Loti a déjà beaucoup voyagé ; de la Chine à Terre-Neuve, de la Turquie à Tahiti, du Sénégal au Monténégro, il a déjà décrit bien des pays et bien des continents. Le Japon est un des rares pays encore « absolument nouveaux » comme il le dit dans l'avant-propos. Le plaisir de la découverte va-t-il encore renaître ? Il a même pris soin d'apprendre un peu la langue avant de débarquer, ce qui indique assez une volonté de comprendre et de communiquer — même s'il veut persuader le lecteur que le but de cet apprentissage est uniquement de faciliter l'accès aux lieux de la galanterie.

Confronter l'image et la réalité, tel est l'enjeu de cette escale et de ce livre. L'Europe, depuis une bonne vingtaine d'années, s'est mise à la mode japonaise — en particulier depuis la participation japonaise à l'Exposition universelle de Paris de 1867. Cette mode — de bibelots, de costumes et d'antiquités, mais aussi de gravures et d'estampes dont on connaît l'influence sur les Manet, Gauguin ou Van Gogh — aboutit en 1888, au moment même de la publication de *Chrysanthème,* à la revue de Samuel Bing *Le Japon artistique*.

Tout au long du livre Loti recense les supports de ces images : paravents, potiches, écrans, éventails, gravures, laques et lavis, porcelaines et autres lanternes. Et pose la question : ce Japon figuré là est-il le *vrai* Japon ? Le premier contact avec les Japonais, sur le pont du navire, vient confirmer l'impression que le Japon n'est qu'un « immense bazar ». Et, à la fin du roman, Loti repart avec un « effrayant bagage : dix-huit caisses ou paquets de bouddhas, de chimères, de vases ! » avec lesquels il va construire la pagode de sa maison de Rochefort[4]. Etait-ce donc cela la découverte du « vrai » Japon : courir les antiquaires et les brocanteurs ? La passion du bibelot, la manie du bouddha, rend-elle aveugle à l'âme de ce peuple si radicalement différent ? Fallait-il, puisque les êtres vous échappent, se contenter des objets ?

Du regard « colonial » à la quasi-japonisation, le livre offre toute la gamme possible des rapports du Moi à l'Autre, en passant par l'amusement, le sarcasme, la condescendance, le respect, pour en revenir régulièrement au constat de l'infranchissable altérité.

Chaque lecteur peut y trouver son compte, depuis un Van Gogh qui pense y découvrir la vraie façon de regarder l'art japonais[5], jusqu'à un Segalen qui ravale Loti au rang des écrivains « exotiques » (est-ce si déshonorant de se retrouver en compagnie de Bernardin et de Chateaubriand, de Saint-Pol Roux et de Claudel[6] ?) ou à un Roland Barthes qui, lui, dans *L'Empire des signes*, refait carrément du Loti (l'art du paquet, le langage du rendez-vous) tout en le condamnant comme un de ces « langages connus qui acclimatent notre inconnaissance de l'Asie ». Même diversité d'opinions chez les Japonais eux-mêmes qui tantôt considèrent que Loti n'a rien compris à leur pays, et tantôt qu'il a su en dresser un portrait fidèle dans sa dureté même, comme l'écrit, par exemple, Toyoichiro Nogami, auteur de la première traduction japonaise de *Chrystanthème* : « Dans ce roman que Loti a sans doute écrit sans prévoir qu'il serait lu par des Japonais, ne pouvons-nous pas découvrir les images de notre propre laideur, dont nous refusons de prendre conscience, et saisir l'occasion de réfléchir sur nous-mêmes[7] ? » Orientalistes et japonisants récusent la vision de Loti en la comparant à celle de Lafcadio Hearn, mais est-il bien pertinent de comparer les impressions nées d'un séjour de quelques semaines (et Loti n'est ni un ethnologue ni un sociologue, c'est un marin, un écrivain) avec les essais documentés d'un spécialiste qui a élu le Japon comme patrie physique et mentale, qui a consacré son existence tout entière à en pénétrer le mystère ? Et puis... *Madame Chrysanthème* est un des livres qui donnèrent à Hearn l'envie de connaître le Japon...

Dans l'une des nombreuses réflexions critiques qui jalonnent si lucidement le texte, Loti se place de lui-même sur ce terrain tellement délicat de l'exotisme (chap. XLIX) : « [...] et d'écouter le *chamécen* de ma mousmé. Jusqu'à présent j'avais toujours écrit sa *guitare*, pour éviter ces termes exotiques dont on m'a reproché l'abus. Mais ni le mot *guitare* ni le mot *mandoline* ne désignent bien cet instrument mince avec un si long manche, dont les notes hautes sont plus mièvres que la voix des sauterelles, — à partir de maintenant, j'écrirai *chamécen*. Et j'appellerai ma mousmé *Kihou, Kihou-San,* ce nom lui va bien mieux que celui de *Chrysanthème,* — qui en traduit exactement le sens, mais n'en conserve pas la bizarre euphonie. » Ce passage qui pose le problème de l'exotisme en termes de langage, figure dans le chapitre où Loti abandonne toutes ses préventions à l'encontre du Japon, avoue qu'il a été « injuste envers ce pays », et déclare même le « comprendre ». Femmes, fleurs, art, musique, tout lui apparaît sous le jour le plus favorable : « A cette tombée de nuit, je me sens presque chez moi dans ce coin du Japon, au milieu des jardins de ce faubourg. » Utiliser les mots japonais, se sentir chez soi : est-ce là le comble de l'exotisme, ou le début de son abolition ? Où Loti est-il le plus exotique : à Nagasaki en Japonais « rapetissé, maniéré », ou bien à Rochefort, déguisé, dans sa pagode ou sa mosquée ?

Immanquablement nous sommes ramenés au sujet Loti : Loti et le Japon. L'enjaponaisement (comme on dit embourgeoisement) du chapitre XLIX n'est en fait provoqué — rendu possible ? — que par l'imminence du départ, c'est « le dernier acte de notre petite comédie japonaise ». Se mettre alors à aimer le Japon, n'est-ce pas la meilleure façon d'introduire une touche de pathétique, de faire vibrer dans les lointains quelques cordes (de guitare ou de violon, plutôt que de *chamécen*), puisque Chrysanthème, elle, décidément, ne vibre point et compte ses piastres ?

Le Cahier rose

En 1894, paraît, à la Bibliothèque artistique, un petit livre, *Le Cahier rose de Mme Chrysanthème*[8], signé Félix Régamey. Régamey avait visité le Japon en 1874 en compagnie d'Emile Guimet (le futur fondateur du Musée qui porte son nom) dont il avait illustré l'ouvrage *Promenades japonaises* paru l'année suivante. Le livre de Régamey comprend d'abord une attaque violente contre Loti (à l'occasion, peut-on supposer, de la republication de *Madame Chrysanthème* par Calmann Lévy en 1893) puis un « Cahier rose », c'est-à-dire le Journal de l'héroïne, par quoi Régamey entend démontrer que Loti est resté totalement aveugle et sourd à celle auprès de qui il a passé ces quelques semaines. Dans ce brillant exercice de récriture, Régamey donne la parole à l'Autre, nous fait entendre ces « vibrations » que le « mélancolique, le lamentable ami » de Mme Chrysanthème n'avait pas su capter.

Le livre de Guimet[9] était, lui, un livre de « premières impressions » et certaines de ses notations annonçaient certains passages de *Madame Chrysanthème* : l'entrée dans le port, les hommes-hérissons sous la pluie, la femme « de paravent », les bains en public, etc. Mais, contrairement à Loti, Guimet (et ses compagnons) éprouve un bonheur permanent ; l'étrangeté du spectacle ne l'empêche pas de ressentir un charme constant : « Tous les détails nous étonnent et nous charment : rien n'est laissé au hasard dans la disposition des objets ; tout fait tableau, l'art préside à tout, et un art plein de finesse, de sobriété et de bon goût [...] Tout le monde est souriant, gracieux, avenant au possible. » Il a l'impression de vivre dans un monde antique où la vie est « commode, tranquille, heureuse, sans grands besoins, sans lutte, pleine de douces impressions et de sage bien-être ».

C'est cette même image du Japon, le pays « le plus riant du monde », que Régamey, en 1894, s'efforce de rétablir contre ce qu'il considère comme les déformations et les injustices de Loti : « De ce Japon, ceux qui l'ont bien vu et qui ont su l'apprécier, ont rapporté de persistants souvenirs qui dominent et remplissent une existence entière. L'impression psychique se mêle intimement ici à la sensation physique, et le parfum poivré des îles de l'Extrême-Orient suit, au travers des mers, avec l'évocation des êtres et des choses, ceux qui s'en sont allés. » Il entreprend de corriger les erreurs de Loti, de prouver que celui-ci non seulement n'a pas compris mais qu'il a mal vu ; par exemple, là où Loti voit des « boutiques encadrées de drap noir qu'il compare avec insistance à des tentures de pompes funèbres », Régamey rectifie : « Ces étoffes, en réalité, sont des bannes où se lisent, en caractères clairs, les enseignes des différentes industries. Jamais elles ne sont noires, jamais elles ne sont en drap. Les Japonais, pour cet usage, emploient des toiles teintes, généralement, en beau bleu indigo ; quelques-unes sont brunes ; les marchands de tabacs, seuls, en étalent de rouges. »

Puis il laisse parler l'héroïne Chrysanthème qui se confie à son Journal, réalisant ainsi à l'avance le programme que Segalen, en 1908, fixera à la littérature véritablement exotique et qu'il nomme « Contre-estampes. Contre-épreuves » : « Pourquoi tout simplement, en vérité, ne pas prendre le *contre-pied* de ceux-là dont je me défends Loti, etc. ? Pourquoi ne pas tenter la *contre*-épreuve ? Ils ont dit ce qu'ils ont vu, ce qu'ils ont senti en présence des *choses* et des gens inattendus dont ils allaient chercher le choc. Ont-ils révélé ce que ces choses et ces gens pensaient en eux-mêmes et d'eux ? Car il y a peut-être, du voyageur au spectacle, un autre choc en retour dont vibre ce qu'il voit[10]. »

Le texte de Régamey (le Journal, pas le pamphlet initial) est évidemment un roman : le reflet inversé, le négatif, du texte de Loti. Il suppose, il invente, une Chrysanthème sensible, indifférente à l'argent, amoureuse : « Fiévreuse, moi aussi, je pensais en le caressant bien doucement, que s'il mourait, je mourrais après lui. Les âmes n'ont pas besoin de paroles pour s'entendre, il saurait alors combien je l'ai aimé[11] » : cette Butterfly, douée de toutes les qualités, est-elle plus « vraie » que Chrysanthème ? Cette sentimentalité tellement européenne, ce pastiche qui n'en est pas un, ont au moins le mérite de justifier *a contrario* le parti pris de Loti, celui de la subjectivité la plus affirmée.

Adopter le point de vue de l'autre, comme le souhaite Segalen, est-ce possible ? Le passage sur le dessin de la maison au moment du départ (*Chrysanthème,* chap. LI) montre que Loti s'est posé le problème et qu'il en a vu toute la complexité. Loti n'est pas satisfait de son dessin qu'il trouve « trop français » : « Le sentiment n'est pas rendu, et je me demande si je n'aurais pas mieux réussi en faussant la perspective, à la japonaise, et en exagérant jusqu'à l'impossible les lignes déjà bizarres des choses. » Mais les trois Japonaises qui regardent ce même dessin sont, elles, « émerveillées de l'air *réel* de mon croquis ». Le dessin de l'étranger, exécuté selon d'autres conventions, fait voir ce qu'on avait perdu l'habitude de remarquer. Guimet, déjà, pensait qu'une vision étrangère est finalement plus révélatrice : « Quand je voudrai savoir ce qu'est la France, je lirai les impressions de voyage d'un Japonais [12]. » N'y aurait-il pas de la prétention naïve à vouloir dire le vrai de l'Autre ?

Un barbare en Asie

A cinquante ans de distance, Henri Michaux éprouve à peu près, face au Japon, les mêmes impressions que Loti. « Convenu », « artificiel », « mignon », « drôle », « propret », « gentil », on pourrait ainsi dresser un long catalogue des épithètes qui semblent glisser de *Madame Chrysanthème* au « Barbare au Japon [13] » (1933). Deux silhouettes entre autres : « Les hommes sont sans rayonnement, douloureux, ravagés et secs, l'air de tout petits, petits employés sans avenir, de caporaux, tous en sous-ordres, serviteurs du baron X et de M. Z ou de la papatrie... Les femmes ont l'air de servantes (toujours servir), les jeunes de jolies soubrettes. [...] De figure parfois gentille, d'une gentillesse sans horizon et sans émotion. De caractère semblable au corps : une grande nappe indifférente et insensible, et puis un petit rien chatouilleux et sentimental. Un petit rire de soubrette, fou et superficiel[14] » Taxera-t-on Michaux de racisme ? Lui-même sait que ce n'est pas bien, qu'on n'a pas vraiment le droit : « Je souhaiterais me trouver excusé [...] d'avoir eu de mauvaises impressions du Japon[15]. » Loti a moins de scrupules — la mauvaise conscience n'a pas encore exercé ses ravages... Il écrit ce qu'il voit, il dit ce qu'il ressent — et se garde d'assener, comme Michaux ou comme Barthes, des vérités générales : ses impressions sont presque toujours situées, modalisées, rapportées au Moi : « A ce moment, j'ai une impression de Japon assez charmante » — « Je l'avais deviné, ce Japon-là » — « Il me semble que, chez ce peuple enfantin et léger, la mort même ne se prenne pas sérieusement ». Il décompose le portrait de Chrysanthème : si, pour la silhouette, il suffit de regarder « une de ces peintures sur porcelaine ou sur soie, qui encombrent nos bazars à présent », son visage est « quelque chose d'assez à part ». Il n'y a pas *un* Japon, ou *une* femme japonaise, mais *des* Japons, *des* femmes japonaises. Plusieurs pays juxtaposés, imbriqués. Comme tout bon voyageur, Loti privilégie le Japon ancien, car le Japon moderne, selon lui, ressemble à l'Australie, aux Etats-Unis ou à la Nouvelle-Zélande. Il pressent (et ce, encore plus clairement dans *Japoneries d'automne* et dans *La Troisième Jeunesse de madame Prune*) que ce nouveau Japon, si apte à copier les inventions techniques, va bientôt battre l'Occident sur son propre terrain ; Michaux dira de même, et plus durement : « Peuple, enfin, dénué de sagesse, de simplicité et de profondeur, archisérieux quoique aimant les jouets et les nouveautés, s'amusant difficilement, ambitieux, superficiel et visiblement destiné à notre mal et à notre civilisation[16]. »

La scène chez le photographe (*Chrysanthème*, chap. XLV) est, de ce point de vue, tout à fait exemplaire. Le photographe « dans le genre des nôtres » opère dans un « quartier antique » : « Cela étonne et cela déroute, un photographe niché là, dans tout ce Japon d'autrefois. » Ce heurt grinçant de l'ancien et du moderne se retrouve tout au long de l'épisode : « irréprochable japonerie » d'une part, « on pourrait être aussi bien à Paris ou à Pontoise » de l'autre. Dans ces décors, au milieu de ces « accessoires Louis XV », Loti ressent enfin de la fascination pour deux « dames de qualité » : elles ont cette « grâce exotique » tant recherchée, elles sont « incompréhensibles », « un monde d'idées absolument fermées pour nous ». De côtoyer des matelots anglais « qui posent avec des airs niais sur des fûts de colonne » les rend encore plus lointaines. Loti hésite entre la reconnaissance d'un exotisme géographique (« peuple japonais », « race dissemblable ») et l'affirmation d'une sorte de confraternité aristocratique internationale : « une distinction incontestable, qui s'impose même à nous, malgré la différence profonde des races et des notions acquises » (on songe à *La Grande Illusion* de Jean Renoir...). Dans ce kaléidoscope de peuples, de races et de classes (il y a aussi le groupe des coureurs « nus et tatoués, peignés correctement en bandeau et en chignon ») s'esquisse un autre sentiment de l'exotisme, moins nostalgique, qui rendrait compte de la polyphonie culturelle d'un monde contemporain où l'Autre absolu, intact, n'est plus qu'une utopie (déjà à Tahiti, quinze ans plus tôt, Loti déplorait la civilisation envahissante). Pour Chrysanthème, les « choses d'art exotiques » ne sont pas les « mignonnes boîtes, en laque ou en marqueterie », mais bien la boîte en fer-blanc « de fabrication anglaise », qui « porte sur son couvercle l'image coloriée d'une usine des environs de Londres ». (Chap. XXVIII.) Entre l'Ici et l'Ailleurs, l'Ancien et le Nouveau, on est toujours l'exote de l'autre...

Loti, en esthète amoureux du passé, supporte mal de voir les Japonais « singer » les Européens : l'exécré chapeau melon devient le symbole d'une perte d'identité, d'un artifice au second degré, d'une tendance déplorable à l'uniformisation : « Il viendra un temps où la terre sera bien ennuyeuse à habiter, quand on l'aura rendue pareille d'un bout à l'autre, et qu'on ne pourra même plus essayer de voyager pour se distraire un peu. » (Chap. II.) Fuyant la ville européenne, il s'installe tout en haut de Nagasaki (comme il s'était installé à Eyoub, faubourg secret dans la ville musulmane, lorsqu'il séjournait à Constantinople) dans un « faubourg paisible », « au milieu des jardins verts ». Il peut alors entreprendre d'énumérer les surprises d'une vraie maison japonaise, d'une vraie existence japonaise, de traquer les odeurs, les sons, les lumières, les nourritures.

Là encore, pourtant, l'exotisme lui joue des tours : au cœur du « petit bout de Japon intime », il y a, parmi les herbes et les fleurs étrangères, « des liserons comme les nôtres et je reconnais dans les jardins des marguerites-reines, des zinnias, d'autres fleurs de France ». Et si l'odeur « compliquée » peut se décomposer en effluves insolites — « on dirait un mélange de poisson sec et d'encens » — il finit par s'avouer : « et je pourrais aussi bien me croire n'importe où ».

Le dépaysement est à la fois impossible et terrifiant. Impossible car la mémoire aux capricieux détours superpose époques et pays : les souris japonaises *(Nidzoumi)* font renaître les souris turques d'Aziyadé *(Setchan !)* et permettent de voir tout ce qui sépare ce mariage à la mode d'un amour véritable (chap. X) ; pis encore, les souvenirs d'enfance reviennent à l'occasion de la fête du 14 Juillet (chap. XI), et les mousses et lichens de la maison natale sont plus étranges, plus inaccessibles que les jardins de mousse du bout du monde. Terrifiant également car l'inconnu, cette perte des habitudes, cette plongée dans un monde autre, sans repère, fait resurgir la tristesse et l'angoisse qui constituent le fond du tempérament de Loti : « Moi, tout à coup, je me sens froid au cœur, à l'idée que j'ai choisi et que je vais habiter cette maison perdue dans un faubourg d'une ville si étrangère. Quelle idée m'a pris de m'installer dans tout cet inconnu qui sent l'isolement et la tristesse ? » (Chap. IV.)

Être perdu, être n'importe où, être comme chez soi, autant de positions du Moi par rapport au Japon, autant d'étapes fluctuantes de ce qui, finalement, constitue le seul élément dramatique de ce séjour à Nagasaki, de cet étrange roman si peu romanesque. Cette « série de photographies instantanées[17] » propose autant de fragments d'un autoportrait : Loti-avec-épouse-japonaise. Et non Loti-en-japonais : car celui-ci, le fait est assez rare pour être noté, ne se « japonaise » pas (l'expression est de Jules Verne pour désigner, dans *Le Tour du monde en quatre-vingts jours*, 1872, son Passepartout lorsque celui-ci s'habille « d'une vieille robe japonaise et se coiffe d'une sorte de turban à côtes[18] »). S'il porte un intérêt très vif aux costumes féminins, Loti n'éprouve aucune attirance pour le costume japonais masculin. Dans la vaste panoplie de ses déguisements — Loti en matelot, en bédouins (clair et foncé), en académicien, en turc, en pharaon, en empereur chinois, en acrobate, en huguenot, etc. — manque Loti en kimono ou en samouraï : marque évidente de la distance infranchissable qui subsiste entre le Japon et lui. Aucune de ces délicieuses pertes d'identité qui, dans *Aziyadé*, rythment l'intrigue amoureuse. C'est qu'à Nagasaki, tout est limpide, fixé, tarifé, défini. Pays sans mystère — dont Loti pressent cependant que le vide, la nudité, le dépouillement préfigurent une vérité sur laquelle l'Occidental n'a aucune prise. Par moments, écoutant jusqu'à l'extase résonner les cordes répétitives du *chamécen* de Chrysanthème, il entrevoit cette mentalité autre : mais comment s'installer en ce « centre vide » (pour reprendre l'expression de Barthes), ce qui permettrait d'échapper — enfin — à cette impression de petitesse[19], de mièvrerie, de drôlerie qui revient sans cesse. Et Loti alors critique l'usage que l'Occident fait des « japoneries » (et que lui-même, pris dans la contradiction, en fera dans sa pagode de Rochefort) : « C'est le comble de la simplicité cherchée, de l'élégance faite avec du néant, de la propreté immaculée et invraisemblable. Et tandis qu'on est là, cheminant à la suite de ces bonzes, dans ces enfilades de salles désertes, on se dit qu'il y a beaucoup trop de bibelots chez nous en France ; on prend en grippe soudaine la profusion, l'encombrement. » (Chap. XXXIX.)

Peut-on vraiment soutenir que Loti n'a « rien compris » au Japon ? Lui-même abrite cette double postulation, au vide comme à la profusion, au désert autant qu'au verdoyant, à l'horizon marin sans borne comme à la cour bien resserrée de la maison natale, ce qui le rend sensible aux contradictions d'un peuple prude et sans pudeur, qui édifie des Bouddhas géants et sculpte d'obscènes et minuscules dragons, peuple silencieux et agité, figé dans la tradition et avide de modernisme. Il le regarde, il l'écoute, il le hume, sans doute il ne l'aime pas mais qu'importe, s'il sait rendre la masse des feuillages, la stridence des insectes, le bruit de la pluie. Ce barbare est un artiste, un enfant qui cherche à réaliser des rêves d'enfant, qui veut à la fois le frisson de l'inconnu et la chaleur d'un refuge.

Journal/Roman/Journal

Les premiers romans de Loti — *Aziyadé, Le Mariage de Loti* — étaient nés, presque naïvement, d'un Journal intime, tenu régulièrement depuis l'adolescence[20]. A mesure que Loti devient un véritable écrivain, sa pratique du Journal se modifie, et tout particulièrement à l'occasion de ce séjour à Nagasaki. La comparaison du roman avec ce Journal (en grande partie inédit[21]), en même temps qu'elle permet de mieux comprendre la présentation « négative » que le roman fait du Japon, éclaire sur le travail et le projet de l'écrivain.

Dès l'abord une surprise. Dans la dédicace Loti déclare bien haut : « C'est le journal d'un été de ma vie, auquel je n'ai rien changé, pas même les dates, je trouve que, quand on *arrange* les choses, on les dérange toujours beaucoup. » Or, *tout* est changé, ou presque, et *surtout* les dates[22] ! L'action du roman se déroule sur plus de deux mois, du 2 juillet (la première date notée dans le texte est celle du 10 juillet au chapitre V) au 18 septembre. Le Journal montre que le séjour à Nagasaki fut beaucoup plus bref : du 8 juillet au 12 août. Outre cet étirement de la durée, dont on peut supposer que Loti attend un effet de réel, on constate également force « dérangements » : les chapitres du roman ne suivent guère l'ordre des entrées du Journal : la seule correspondance exacte est celle du 14 juillet, comme si Loti avait voulu célébrer à sa façon la fête nationale ! Et surtout le Journal se compose essentiellement (pour plus de la moitié) d'un bloc de notations datées toutes du 24 juillet : il semble que ce jour-là Loti ait voulu faire le point sur ses premières impressions, sur son installation et son mariage avec Okané-San (madame Chrysanthème) dont il a été très peu question dans les entrées des jours précédents. Ces notations du 24 juillet sont, dans le roman, distribuées sur plusieurs journées (10, 12, 13, 18 juillet ; 2, 4, 10, 12, 23, 27 août ; 2, 3, 4, 11 septembre) et encore davantage de chapitres (certains datés, d'autres non).

La comparaison des premières pages du Journal[23] avec le début du roman est spécialement instructive : dans ce que le lecteur du roman ressent comme une absence d'intrigue, il y a cependant un dynamisme du projet de mariage, totalement absent dans le Journal. Rien dans celui-ci qui corresponde à l'avant-propos (je vais me marier) : mais une arrivée (après-midi du 8) par temps pur, exquis (qui devient une brève partie du chapitre II) ; puis le 10 juillet : la « pluie torrentielle » (chapitre III) ; Loti passe l'après-midi seul dans une maison de thé, où dansent trois petites mousmés. Le 11, il se promène dans Nagasaki avec Pierre (Yves) ; ils achètent une armure de samouraï, dînent à l'hôtel français avec des officiers ; l'armure est égarée dans le transport : « C'est Kikou-San, notre ami nouveau qui la retrouve. » Le 12, simplement une †, symbole qui revient souvent dans le Journal de Loti et qui indique *peut-être* un anniversaire douloureux, un état de grande tristesse. Le mardi 14, visite au théâtre japonais, au jardin du grand temple boudhique, dîner dans la ville européenne. Le même jour, Pierre « très beau avec sa haute taille et sa carrure », lutte contre une bande de mousmés « qui lui viennent à peine à la ceinture ». Le 15, brève notation énigmatique : « Tout en haut de la montagne, la nuit, dans le silence de l'obscurité... K. S... » (S'agit-il de Kikou-San le « nouvel ami » mentionné précédemment ?) Et le 17 : « Depuis hier j'habite dans le faubourg de Diou-djien-dji, très haut au-dessus de la ville, dans les jardins et la verdure — Ce soir, dans ce logis, mes fiançailles. » Annonce du « mariage » pour le lendemain : « Pierre est désolé d'être de service, de ne pas voir ça. » Puis un paragraphe sur la recherche des bibelots qui sera intégré au chapitre XLIV (daté 11 septembre dans le roman, c'est-à-dire tout à fait vers la fin). Rien sur le mariage lui-même. Et commence le long passage du 24 juillet : évocations diverses de la vie quotidienne, description de la maison, de Chrysanthème, réactions de Pierre, etc. Seules deux lignes mentionnent le mariage déjà accompli : « Ça a été très gentil, notre mariage ; il y a eu le soir un cortège aux lanternes et un thé de gala. »

Le Journal ne dit donc rien des circonstances de la rencontre avec Chrysanthème : pas de Kangourou, pas de quiproquo sur la fiancée, rien de tous les petits incidents qui, dans le roman, préparent et entourent la cérémonie, et surtout rien des réticences et des préventions de Loti sur les femmes japonaises. Mais il y a cette mystérieuse notation sur la nuit dans la montagne avec K.S. Certains chercheurs japonais supposent que K.S., le djin, fut l'intermédiaire entre Loti et Okané-San dont il était le cousin. La dernière notation du 24 juillet (séparée du reste) a été, elle aussi, supprimée du texte du roman : « En bordée le soir, aux lanternes, dans d'étranges quartiers noirs, pendant que cette petite Okané m'attend à Diou-djien-dji » : le mariage du roman est un peu plus conjugal que celui du Journal, dans lequel l'indifférence de Loti envers Okané est presque totale ; même l'ébauche d'une intrigue entre Okané et Pierre en est absente : Pierre est dans le Journal un classique marin européen en bordée qui, loin de se mourir d'amour pour la « femme » de son commandant, s'amuse comme tous les marins du monde dans une ville étrangère : « Je craignais bien que ce séjour et cette liberté trop grandes ne fussent nuisibles à mon pauvre Pierre. Mais non, jusqu'ici il n'y a rien eu contre la discipline. Seulement ce pays sensuel lui a tourné la tête, et pour la première fois, lui qui était si fidèle à la foi jurée du mariage, s'est donné à une petite Japonaise, et me l'a avoué tout confus » (toujours en date du 24 juillet).

L'aventure « réelle » (c'est-à-dire telle qu'elle est racontée dans le Journal) n'offrait aucune virtualité romanesque. Ce n'était vraiment qu'un « mariage d'un mois », « mariage pour rire » (et le Journal, pas plus que le roman, ne permet de savoir s'il a même été consommé...). Loti décide donc d'inventer des épisodes un peu dramatiques afin de créer une sorte de tension : à quoi va ressembler cette épouse ? Pierre va-t-il me tromper avec Chrysanthème ? Autant de concessions au public qui veut de la romance; il faudra attendre *La Troisième Jeunesse de madame Prune* pour voir Loti accepter de jouer le jeu du non-roman absolu : amours qui tournent court, rencontres sans lendemain — comme dans la vie.

Le travail de l'écrivain, dans *Madame Chrysanthème*, consiste donc à recréer l'*illusion* du Journal, et l'on comprend mieux alors la fonction des déclarations initiales sur l'arrangement et le dérangement. Il faut citer ici un peu longuement les phrases de Loti à Philippe Gille, journaliste du *Figaro*, pour mieux saisir cette stratégie d'écriture et de publication : « Autrefois, je me contentais de prendre des notes pour moi tout seul, n'ayant aucune idée qu'elles seraient publiées jamais. C'était une manière de fixer le plus possible ma vie qui passait, de lutter contre le temps rapide, contre la fragilité des choses et de moi-même. Ces notes d'autrefois étaient très détaillées, très longues, renfermant des descriptions très complètes. De ces notes-là sont sortis mes premiers livres, *Aziyadé,* dont la dernière page seulement est inventée, *Le Mariage de Loti, Fleurs d'ennui* et la majeure partie de *Mon frère Yves.* Aujourd'hui je continue à prendre des notes mais ce n'est plus avec la candeur d'autrefois, je l'avoue ; c'est avec la conscience que je les publierai, que j'en tirerai des livres. Quant au Japon, à propos du livre dont vous me parlez, *Madame Chrysanthème,* j'ai noté au jour le jour ma vie conjugale ; je savais très bien que cela se vendrait un jour chez Calmann Lévy. Je ne l'aurai peut-être pas noté sans cela, car le journal intime de ma vie est de plus en plus bref, négligé ; ma faculté de sentir s'émousse, et les trois quarts des choses qui m'impressionnaient jadis passent aujourd'hui inaperçues[24]. »

Donc, en fait, un Journal qu'il convient de considérer plutôt comme un aide-mémoire, en remarquant que Loti continue à faire croire que ces notes de Nagasaki étaient tenues « au jour le jour » : nous avons vu qu'il n'en était rien : le bloc de notes du 24 juillet est un réservoir qui donne naissance à de nombreux chapitres datés différemment, dispersés sur une durée plus longue. Loti redonne donc l'allure d'un journal à un texte qui n'y ressemble plus guère dans la réalité. Mais il se garde bien de se livrer à un ravalement systématique de *tout* l'édifice : les chapitres du roman ne sont pas tous datés mais le lecteur peut avoir cependant l'impression d'un vrai journal — ou, du moins, d'un journal « à la Loti ». Depuis *Aziyadé,* Loti a mis au point une pratique très singulière de cette forme, toute faite de contestations et de transgressions. Le texte est, en effet, à la fois au présent (ce qui est banal) et au passé (ce qui l'est moins) comme si l'aventure était à la fois racontée et remémorée. Il s'agit plutôt d'inventer une forme d'écriture qui utilise certains traits du journal : le discontinu, le fragmentaire. Par exemple, ce passage à la fin de la journée du 14 juillet : « Ah ! un dernier souvenir drôle, qui me revient de cette soirée-là » :

cette formulation ne peut correspondre qu'à une situation de rétrospection, accentuée dans la suite par les temps du passé : « nous nous étions fourvoyés — il disait », et par l'expression « je vois encore », qui établissent une distance considérable entre l'événement et son inscription dans le texte, distance qui ne saurait être celle des quelques heures qui les séparent dans la rédaction d'un journal véritable.

Autre trait capital de cet usage biaisé du Journal, la fréquence des remarques concernant le texte lui-même et son écriture, et qui ne peuvent, en bonne logique, se justifier que dans l'optique d'un dialogue entre un romancier et son lecteur. Si le paragraphe du chapitre VIII (sur les mots au Japon « qui embellissent », alors qu'ailleurs ils étaient impuissants à rendre le charme pénétrant des choses) peut encore participer de la pratique du journal (on le retrouve effectivement dans les pages du 24 juillet), d'autres renvoient bien évidemment à la mise en œuvre par l'écrivain des éléments que son Journal véritable lui a fournis : ce sont, par exemple, les passages sur la digression (chap. XI), la phrase adressée à « qui lit mon histoire » sur l'absence « d'intrigue et de choses tragiques » (chap. XVI), la réflexion sur le retour à l'enfance (chap. XXXII), et, surtout, le passage déjà cité sur l'emploi de termes exotiques (chap. XLIX). Passage tout à fait exemplaire parce que d'abord il nous ramène à la problématique de l'exotisme, centrale dans le roman, mais aussi parce qu'il suppose une opinion qui ne peut être que celle des lecteurs de ses romans antérieurs : passage absent bien sûr du vrai Journal où, depuis le début, l'épouse japonaise est nommée Okané ou Okané-San (Okané signifie prune), ce qui empêche toute considération sur la différence entre Chrysanthème et Kikou-San (rappelons que ce nom est celui du djin, ce qui complique encore les choses : le problème de traduction se doublant d'un problème d'identité sexuelle...).

Passages déplacés, chapitres ajoutés, épisodes inventés ou retranchés : le roman — dont l'action se déroule sur une plus longue durée — avec des épisodes plus variés, des répétitions d'épisodes (visites aux temples, aux maisons de thé), donne donc davantage l'impression d'un Journal que ne le fait le Journal véritable, plus rapide, plus concentré. A l'exception d'un passage long que Loti retranche : huit pages datées du 9 août qui racontent une visite au « temple de la déesse Kanon[25] ». Cette excursion « à six ou sept heures de Nagasaki » n'a effectivement aucun lien, même ténu, avec Chrysanthème : Pierre y joue le rôle principal « repris par ses impressions enfantines d'éloignement du pays. Comme on est loin ici ! dit-il. Il songe que le soleil qui nous a quittés, vient de se lever sur Rosporden, — et que c'est justement le second Dimanche d'août, le *pardon de Bonne Nouvelle*. — Ce grand pardon auquel j'étais l'an dernier ! Que de choses encore, ont passé et changé depuis... » Le passage se termine par un retour à la maison de Dioudjien-dji : « ayant soupé avec des gâteaux, nous nous endormons sous la tente bleue ». On peut supposer que ce sont des raisons de proportion qui ont amené Loti à retrancher ces pages — mais le chapitre XL, la visite aux bonzes du temple de *La Tortue sauvage,* est bien aussi long, et Chrysanthème en est également absente (le *nous* désigne-t-il Loti et elle ? ou Loti et Pierre ?). Deux visites de temples c'était sans doute trop pour le lecteur, sinon pour le touriste avide. Ou alors désir d'unité de lieu : Chrysanthème = Nagasaki, une escale, un mariage.

D'un mariage l'autre

Superposer le roman au Journal réel, c'est surtout voir apparaître, presque chimiquement pur, tout le côté négatif de l'évocation du Japon. Comme si, à retardement, Loti avait voulu marquer de sarcasme et de dérision l'évocation de ce pays et de ses habitants. Le Journal se contente de broder sur les deux thèmes les plus banals, les plus neutres : la petitesse et le comique : les Japonais sont petits, les objets sont petits, et nous les trouvons, nous les Européens, un peu ridicules ; Pierre surtout avec sa haute taille (Loti était petit, qu'on regarde les photographies) « s'amuse de Chrysanthème comme d'une poupée » : « Oh le drôle de petit monde que ce monde nippon. »

Le Journal, s'il dit aussi l'indifférence pour Chrysanthème et l'exaspération qu'elle provoque chez Loti comme femme ou comme compagne, est presque entièrement muet sur tous les autres traits caricaturaux que le roman répète à loisir : le thème simiesque (réservé aux vieilles femmes : « Dès que l'âge vient, tout de suite ça tourne au vieux singe » ; p. 12) — le mercantilisme — la rapacité : le chapitre LII par exemple, celui où Loti tombe sur Chrysanthème vérifiant les piastres au lieu de verser des larmes sur le départ de son époux, est totalement adventice[26], comme l'était, au tout début, l'épisode du chapitre II qui décrit l'envahissement du pont du navire par la meute des marchands — les tracasseries policières (chap. XXX), sans oublier les images de mort (cercueil, suaire) qui assombrissent le récit de la translation du voyageur depuis son navire jusqu'à la ville inconnue.

Pourquoi avoir ainsi noirci le tableau de ce séjour à Nagasaki ? L'absence de désir pour le corps japonais (pour le corps féminin du moins : quelques notations sur les cuisses musculeuses des djins révèlent que Loti n'a rien perdu de ses obsessions de corps athlétiques...) suffit-elle à expliquer cette morosité agressive ? Deux lettres de Loti tendraient à le laisser penser. La première, à sa sœur Marie, juste avant l'arrivée à Nagasaki : « Je vais louer une petite maison de papier au milieu des jardins, dans un faubourg de Nagasaki ; je demeurerai là bien tranquille, pendant que la *Triomphante* se fera réparer dans le bassin » (1er juillet 1885[27]). La seconde, à sa nièce Ninette, du 7 août et dont le ton est tout à fait celui du Journal — l'ennui mais non le sarcasme : « Je m'ennuie bien toujours, je fais tout ce que je peux pour m'intéresser à ce pays. Impossible, tout cela m'assomme ! [...] je me suis marié, il y a trois semaines, par désœuvrement et par solitude. [...] Je m'ennuie plus que jamais, mon petit Ninet, et je voudrais bien revenir[28]. » Mais aussi, dans la même lettre : « Si tu savais, pourtant, comme c'est drôle, une soirée chez moi, et les thés que je donne, les dames du voisinage arrivant avec leurs figures de potiche, leurs révérences cassées en deux, à quatre pattes ; et les minauderies, les éventails, les guitares ! Si tu pouvais voir cela par un petit trou, comme tu t'amuserais[29]. » Drôle à voir, ce Japon — mais ennuyeux à vivre, surtout lorsque revient le souvenir de Stamboul ou de Tahiti, alors que s'enflammaient le corps et le cœur.

Fallait-il pour autant aller aussi loin dans la charge — au risque, on l'a vu, d'encourir les reproches des connaisseurs et des belles âmes ? Cet acharnement contre le Japon ne peut s'expliquer que par les circonstances qui accompagnent la composition du livre. Dans la lettre à Ninet du 9 août, déjà citée, Loti écrivait : « Qui sait, à mon retour, il me sera peut-être donné, comme à tant d'autres, de faire un mariage meilleur, qui ne me laissera pas le cœur vide comme celui-ci[30] ! »

Le Journal des années 1886 et 1887[31] révèle que cet autre mariage — mariage « pour de bon » cette fois, pas « pour rire » — n'est guère plus réussi, guère plus réjouissant que celui de Nagasaki. Le 13 juin 1886, « présentation à Mlle Blanche de Ferrière, que peut-être j'épouserai. On me retient à dîner là, en famille. J'hésite à accepter, par frayeur des engagements, du mariage. » Le 4 octobre : « Il me semble que je prépare le mariage d'un autre, que dans tout cela je ne suis pas en cause. » Le 20 octobre : « A deux heures, le contrat — à 3 h, le mariage civil, à la mairie — il me semble que j'assiste au mariage d'un autre. » En février 1887, il est en plein désespoir, envieux « du bonheur des autres ». Le 4 mai, c'est la mort de son premier fils. Sa femme est presque mourante. Le mariage lui donne l'impression d'être enchaîné. Il est

« désespérément las de toute chose ». Le 17 août (cette cyclothymie, c'est tout Loti), escapade en Bretagne pour revoir une des nombreuses femmes qu'il a adorées : « J'oublie que je suis marié, je me sens libre et encore si jeune. »

C'est sur ce fond très sombre qu'il écrit *Madame Chrysanthème* : on peut imaginer que l'œuvre en est affectée et se colore de teintes comparables, que l'ennui du nouveau mariage ressuscite l'ennui semblable des jours de Nagasaki. Déprécier le mariage japonais, ne serait-ce pas aussi une façon de rassurer la jeune épouse française — peut-être effrayée de ce mari aussi célèbre que volage... Et Blanche, malade, n'a même pas le côté comique, mignon, gentil des petites mousmés. Agresser le Japon et les Japonais est une manière de ne pas succomber au désespoir, en désignant une cible hors de soi-même, éviter d'avoir à se demander pourquoi on s'est laissé persuader de se marier — une seconde fois — et pour plus longtemps que la durée d'une escale. Encore une fois l'amour manque, comme à Nagasaki : « Cette maladie grave m'attache à elle [sa femme], décidément je l'aime d'une vraie amitié » (6 juin) : l'amitié n'est pas l'amour. Alors « Tous les soirs, très tard, très avant dans la nuit, je travaille à *Madame Chrysanthème*, là-haut, dans la chambre arabe » (12 juin). Où sont les nuits d'amour avec Rarahu ou avec Aziyadé ? Nuits d'écriture, à régler leur compte aux petits hommes jaunes en chapeau melon, aux petites femmes minaudières... Et dès que le manuscrit est terminé, le 3 septembre (il est marié depuis moins d'un an, sa femme se remet à grand-peine de sa fausse couche), le voici qui repart : « Jeudi 8 septembre. Fini le manuscrit de *Madame Chrysanthème*, il me semble que je n'ai plus rien à faire et que je sens plus cruellement le vide de ma vie. Commencé mes préparatifs pour le voyage en Roumanie et à Stamboul. »

C'est au cours de ce bref séjour à Stamboul qu'il va vérifier la mort d'Aziyadé (comme il en fera le récit dans *Fantôme d'Orient*) et c'est de Roumanie qu'il rapportera l'idée de son *Roman d'un enfant*[32], livre dans lequel il opère une remontée vers les origines de son être et vers les sources de son œuvre. Pour lui, en fait, le temps du roman (mis à part *Matelot* qui est plutôt une biographie, et *Ramuntcho*) est terminé. *Madame Chrysanthème*, ce livre d'un mariage raté, est aussi le livre où s'achève un certain romanesque, celui de l'aventure amoureuse et exotique, mais aussi de l'affabulation romanesque, même déguisée sous le masque du journal. Presque trop virtuose, *Madame Chrysanthème* met un terme à une « période » de Loti : peut commencer le temps des vrais livres de voyage, ceux où la toute-puissance de son regard sensible s'exercera sur des régions bien différentes du Japon : les déserts, l'Inde, le Maroc, cet Islam avec lequel depuis presque toujours (lors de sa première escale à Alger, il n'avait que dix-neuf ans) il se sent en totale communion. De vrais livres à trois personnages : Moi, ce pays (ou ce paysage) et l'Effet qu'il produit sur moi. Et tant pis pour les chrysanthèmes...

L'autre Japon

Deux livres, *Japoneries d'automne* (1889) et *La Troisième Jeunesse de madame Prune* (1905), appartiennent à cette autre manière de l'écrivain et donnent du Japon une image toute différente, apaisée, réconciliée. Le premier rassemble des textes descriptifs : impressions à la première personne, de temples, d'un pays en train de basculer dans la modernité. Il s'achève sur le récit de... la fête des chrysanthèmes, et sur la vision, dans ce jardin, qui est « le lieu du monde le plus raffiné peut-être et le plus rare », de l'impératrice, née la même année qu'un Loti qu'envahit la nostalgie : « Et c'est aussi un lambeau du vrai Japon qui vient de s'évanouir là, à ce tournant du chemin, qui vient d'entrer dans l'éternelle nuit des choses passées, — puisque ces costumes, ni ce cérémonial, ne se reverront plus[33]. »

Dans *Madame Prune,* Loti raconte, sous forme d'un journal tenu du 8 décembre 1899 au 29 octobre 1900, un nouveau séjour à Nagasaki, « la ville de madame Chrysanthème ». Celle-ci, apprend-il, est établie dans une ville voisine, « mariée en justes noces à un M. Pinson, fabricant de lanternes en gros ; toutefois le ciel se refuse, hélas ! à bénir cette union qui demeure obstinément stérile, et c'est le seul nuage à ce bonheur[34]. » Ebauchant quelques flirts, avec une très jeune danseuse, avec madame Prune son ancienne propriétaire, avec la fille d'un gardien de temple, avec madame la Cigogne, tenancière d'une maison de thé, Loti se promène, regarde, se laisse enfin prendre au charme du pays, et, au-delà de l'impression toujours présente de comique et de mièvrerie, découvre « d'insondables rêveries de race jaune, où l'on devine de l'énergie farouche et qui bouleversent vos appréciations d'avant sur ce monde rieur[35] ». Mais aussi, bien plus que dans *Madame Chrysanthème,* il se laisse aller au désespoir de l'exilé. C'est d'ailleurs moins le Japon qui est en cause que la simple séparation d'avec le pays natal pour lequel le navire ne constitue qu'un substitut à moitié satisfaisant : « La guitare mourante cesse d'évoquer les mythes invisibles, cesse d'émouvoir, de faire peur ; tout simplement elle distille de la tristesse, de la tristesse sans nom, qui tombe sur nous comme la pluie lente d'un ciel mort ; à moi, elle dit l'exil, les deux années de Chine en avant de ma route, la fuite de la jeunesse et des jours ; surtout elle me fait sentir jusqu'à l'angoisse l'isolement de mon âme de Français au milieu de ces légions d'âmes japonaises, étrangères, hostiles, qui m'enserrent dans ce quartier éloigné, au pied des pagodes et des sépultures, à présent que la nuit vient.

« Et c'est l'heure où j'ai envie de m'en aller. C'est l'heure où je me sens une hâte presque enfantine de prendre ma course à travers les ruelles boueuses, où tant de lanternes baroques, tourmentées par les vents de neige, font miroiter les flaques d'eau ; d'atteindre au plus vite, là-bas, les quais déserts ; de me jeter dans un canot, qui pourtant sera secoué, dans le noir, par mille petites lames méchantes, — d'arriver enfin dans cette sorte d'îlot blindé, dans ce navire qui est un coin de France, et où je reverrai les bons visages de chez nous avec leurs yeux droits et bien ouverts[36] » : le Japon, c'est l'Autre, fascinant, c'est-à-dire terrorisant pour l'enfant que Loti est resté. Le véritable refuge, maintenant que sa mère est morte (1896), est la maison de Rochefort, musée, cénotaphe, ou la maison d'Hendaye, achetée en 1904. C'est surtout la possibilité d'un éternel va-et-vient, du retour périodique à certains points fixes (maisons, cimetières) avant la fuite perpétuelle, qui permet d'esquiver l'installation qui fige, qui ennuie, qui tue.

Madame Prune dit, sans agressivité (enfin, presque pas...), le pathétique des amours ratées, ou seulement esquissées, du désir qui s'éteint, de la vie qui passe. Loti ne reverra pas Chrysanthème : « à la suite d'un pèlerinage efficace à certain temple, très recommandé pour les cas rebelles comme le sien, Madame Chrysanthème, après quatorze ans de mariage stérile, s'était tout à coup sentie dans une position intéressante très avancée, qui n'avait pas permis de songer à un plus long voyage[37] ». Mlle Dédé, « l'ancienne servante » du ménage Sucre et Prune, « est devenue une imposante matrone ». Et madame Prune elle-même « après une jeunesse interminable, vient de traverser enfin, et victorieusement du reste, certaine crise, certain tournant de la vie par où les autres femmes passent toutes[38]. » Cette *matinée à l'hôtel de Guermantes* se termine — et le livre avec elle — en queue de poisson : l'amour ne survit pas au vieillissement des corps : « Quand je jette ensuite un coup d'œil en arrière, sur cette maisonnette où j'ai passé jadis un été sans souci, au chant des cigales, j'aperçois encore la petite vieille bien grasse [madame Prune] bien repue, bien contente, et tassée maintenant sur elle-même, qui secoue sa pipe contre le rebord de sa boîte (un pan pan pan que je ne réentendrai jamais) et qui me regarde partir, d'un air très détaché. Non, décidément rien ne vibre plus dans cet organisme gracieux, qui fut durant des années la sensibilité même, l'âge a fait son œuvre !... Ainsi finit brusquement cette troisième jeunesse de Madame Prune, que la déesse de la Grâce avait, je crois, prolongé un peu plus que de raison[39]. »

Plus que les êtres, peu doués décidément pour la tragédie (Barthes dira : pour l'hystérie, et s'en félicitera), c'est le pays que regrettera le voyageur, sa beauté : « Il n'y a vraiment pas de pays plus joli que celui-là, pas de pays où les choses, comme les femmes, sachent mieux s'arranger, avec plus de grâce et d'imprévu, pour amuser les yeux[40]. » Ces « femmes japonaises » auxquelles Loti avait consacré un texte paru sous ce titre[41], texte quasi ethnographique, dans lequel une fois encore il affirmait l'impossibilité d'écrire sur le sujet quelque chose de profond : « Je ne crois pas qu'un homme de race européenne puisse écrire sur la femme japonaise rien d'absolument juste, s'il veut aller au-delà des surfaces et des aspects. Un Japonais seul y parviendrait [...] et encore, si cette étude était fouillée un peu trop, nous ne la comprendrions plus ; elle ne nous apprendrait rien, parce qu'elle nous échapperait par certain côté, qui serait précisément le côte profond et capital. La race jaune et la nôtre sont les deux pôles de l'espèce humaine ; il y a des divergences extrêmes jusque dans nos façons de percevoir les objets extérieurs, et nos notions sur les choses essentielles sont souvent inverses[42]. »

Et pourtant — comble de l'ironie — *Madame Chrysanthème* est resté, dans nos mémoires incertaines, comme *le* livre sur le Japon. La référence inévitable, le texte auquel tous les écrivains qui abordent le même sujet se croient obligés de régler son compte. Après Régamey qui l'exècre, Segalen qui l'accable, Barthes qui ne le dédaigne que pour mieux le récrire, Philippe Curval qui le parodie (L'Utopie : Loti pue) en rêvant sur l'étrangeté des noms propres du roman pour en faire la matière d'une étonnante nouvelle de science-fiction sur l'oubli (« Un souvenir de Loti[43] »), — voici enfin, par exemple, François Weyergans qui, dans son dernier livre (*Je suis écrivain*, 1989), retrouve Loti, cent ans après, dans les rues de Tokyo : « ... plus loin, un bar s'appelait *Frimousse*, un autre *Accolade*, des mots qui avaient l'air de sortir d'une letttre de Pierre Loti à madame Chrysanthème et qu'on avait dû choisir en raison de leur charme graphique insoupçonné de l'Académie française[44]. »

Qu'importe si Loti n'écrivit point de lettre à Chrysanthème... il suffit de couples qui s'embrassent le long de la rivière Kamo, d'un temple avec des renards en pierre (ceux-ci « avaient des bavoirs rouges autour du cou ») et d'une religion « saugrenue » pour que, tutélaire, le fantôme de l'écrivain surgisse entre ces pages. Récrit de toutes les façons mais résistant à toutes les tortures, le roman, au-delà des modes, est devenu mythe inépuisable, guide insaisissable de nos rêveries sur cet autre Japon — celui qu'il ne s'agissait donc pas de comprendre, mais simplement de voir, de ressentir, et d'écrire — surtout.

Bruno VERCIER.

NOTES

1. *Madame Chrysanthème*, opéra d'André Messager sur un livret de Georges Hartmann et André Alexandre, 1893. Voir, en Annexe I, quelques extraits de ce livret. Les données initiales du *Madame Butterfly* de Puccini (1904, sur un livret de Giascosa et Illica, d'après la pièce de D. Belasco sur une histoire de John Luther Long) sont très proches : le lieutenant de marine américain Pinkerton épouse Cio-Cio-San (madame Butterfly) à la mode japonaise. La scène se passe aussi à Nagasaki. Butterfly est éprise de Pinkerton. Trois ans plus tard Pinkerton revient avec son épouse américaine. Quand elle apprend la vérité Butterfly se suicide, en confiant leur fils à Pinkerton. Au moment où il écrivait son opéra, André Messager était l'hôte de la Villa d'Este. Puccini s'y trouvait également.

2. P. Loti, *Propos d'exil*, p. 53. L'Orient est, dès son enfance, marqué d'un signe négatif puisque c'est là que son frère aîné, Gustave, a contracté la maladie qui devait l'emporter.

3. *Le Roman d'un enfant* (GF, N° 509), p. 102.

4. La pagode est aménagée en 1886 et sera démontée dans les années 1950. Voir l'article de Marie-Pascale Bault « La pagode japonaise de la maison de Pierre Loti à Rochefort », in *Le Japon de Pierre Loti*.

5. « Est-ce que tu as lu *Madame Chrysanthème* ? Cela m'a bien donné à penser que les vrais Japonais n'ont rien sur les murs. La description du cloître ou de la pagode où il n'y a rien (les dessins et curiosités sont cachés dans des tiroirs). Ah ! C'est donc comme ça qu'il faut regarder une japonaiserie, dans une pièce bien claire, toute nue, ouverte sur le paysage. » (Lettre à Théo, 509F, juillet 1888). « Le livre de Loti, *Madame Chyrsanthème*, m'a appris ceci : les appartements y sont nus, sans décorations et ornements. Et justement cela a réveillé ma curiosité pour les dessins excessivement synthétiques d'une autre période, qui sont probablement à nos crépons à nous ce qu'un sobre Millet est à un Monticelli » (Lettre

511 F, juillet 1888). Cité dans « Vincent Van Gogh, admirateur de Pierre Loti », *Cahiers Pierre Loti*, N° 59, juin 1972.

6. Victor Segalen, *Essai sur l'exotisme*, « Ecrire un livre sur l'Exotisme — Bernardin de Saint-Pierre-Chateaubriand — Marco Polo l'initiateur — Loti », p. 13 ; et p. 17, 34, etc.

7. Préface à la réédition de 1923, citée et traduite par S. Funaoka dans *Pierre Loti et l'Extrême-Orient*, p. 41.

8. Voir, en Annexe II, des extraits de cet ouvrage.

9. Voir, en Annexe III, des extraits de cet ouvrage.

10. Victor Segalen, *op. cit.*, p. 17-18.

11. *Le Cahier rose*, p. 47.

12. *Promenades japonaises*, p. 32.

13. « Un barbare au Japon » dans : *Un barbare en Asie*.

14. Henri Michaux, *Un barbare en Asie*, p. 198-199.

15. *Ibid.*, p. 197.

16. *Ibid.*, p. 200.

17. L'expression est de Maxime Gaucher, l'un des premiers journalistes à avoir écrit sur *Chrysanthème* (*La Revue bleue*, 17 décembre 1887).

18. Jules Verne, *Le Tour du monde en quatre-vingts jours* (GF, N° 299), p. 177. Le roman date de 1872.

19. Barthes comme tous les autres voyageurs (de Verne à Weyergans) est sensible à cette « petitesse ». Il en propose l'explication suivante : « Si les bouquets, les objets, les arbres, les visages, les jardins et les textes, si les choses et les manières japonaises nous paraissent petites [...] ce n'est pas en raison de leur taille, c'est parce que tout objet, tout geste, même le plus libre, le plus mobile, paraît *encadré*. La miniature ne vient pas de la taille, mais d'une sorte de précision que la chose met à se délimiter, à s'arrêter, à finir. » (*L'Empire des signes*, p. 58.)

20. Voir *Aziyadé*, GF N° 550, Préface, p. 11 et suivantes.

21. Dans les Archives de la famille Loti-Viaud.

22. Voir en Annexes IV et V le tableau de correspondance des dates et des chapitres tel qu'il a été établi par S. Funaoka, ainsi que celui des noms propres, presque tous transformés (*op. cit.*).

23. Voir en Annexe VI le début du Journal (inédit).

24. *Le Figaro*, 10 décembre 1887.

25. Voir en Annexe VII « Une page oubliée de *Madame Chrysanthème* ».

26. Voir en Annexe VI la dernière page du Journal sur la dernière entrevue avec Okané-San (Chrysanthème).

27. Citée dans Pierre Loti, *Correspondance inédite*, 1865-1904, p. 191.

28. *Ibid.*, p. 197 ; Voir aussi en Annexe VIII une autre lettre de Loti, à Marcel Sémézies.

29. *Ibid.*, p. 197.

30. *Ibid.*, p. 196.

31. Etudié et reproduit (en partie) par S. Funaoka dans l'ouvrage déjà cité.

32. Voir mes deux éditions d'*Aziyadé* et du *Roman d'un enfant* (GF).

33. P. Loti, *Japoneries d'automne*, Calmann-Lévy, p. 354.

34. P. Loti, *La Troisième Jeunesse de madame Prune*, éd. illustrée, éd. Pierre Lafitte, 1923, p. 12.

35. *Ibid.*, p. 51.

36. *Ibid.*, p. 52.

37. *Ibid.*, p. 101.

38. *Ibid.*, p. 102.

39. *Ibid.*, p. 110.

40. *Ibid.*, p. 108.

41. Dans *Le Figaro illustré* d'octobre 1891 ; repris dans *L'Exilée* (1893) et reproduit dans l'édition de *Madame Chrysanthème* préfacée par Alain Quella-Villéger aux éditions Pardès (1988).

42. *L'Exilée*, p. 156.

43. P. Curval, « Un souvenir de Loti », *Utopies 75*, éd. Robert Laffont, 1975.

44. F. Weyergans, *Je suis écrivain*, Gallimard, 1989, p. 103-104.

PUBLICATION ET TEXTE

Si nous avons pu[1] consulter et utiliser le Journal (en grande partie inédit) de Loti pour la période du séjour à Nagasaki (1885) et pour celle de la rédaction du roman (1887), nous n'avons pu retrouver le (ou les) manuscrit(s) de cet ouvrage (manuscrit passé en vente dans les années trente, vente Barthou du 5 novembre 1932).

La publication de *Madame Chrysanthème* est pour Loti l'occasion d'une tentative de rupture avec Calmann Lévy qui édite ses œuvres depuis son premier roman, *Aziyadé* (1879). Un passage du *Journal* des Goncourt permet de comprendre les raisons de ce mécontentement :

« 10 février 1884. Viaud, l'auteur du *Mariage de Loti* [...] Garçon taciturne, qui dit être horriblement timide. Il faut lui arracher les paroles. Il nous donne ce détail stupéfiant sur les traités usuraires de Calmann-Lévy, des traités dans lesquels pendant six ans,

1. Grâce à l'amabilité de M. et Mme Pierre Pierre-Loti-Viaud que nous tenons à remercier de leur accueil et de leur inépuisable hospitalité. Cette édition a bénéficié également de la générosité de nombreuses personnes parmi lesquelles nous tenons à remercier tout spécialement M. Jacques Loti-Viaud, M. Fernand Laplaud, Marie-Pascale Bault, Alain Quella-Villéger et Jean-Yves Mollier qui nous ont communiqué conseils et documents. Ainsi que le professeur Suetoshi Funaoka, de Tokyo, qui nous a fourni de précieux renseignements et nous a autorisé à reproduire des passages de son livre *Pierre Loti et l'Extrême-Orient*, ouvrage qui nous a été fort utile.

l'écrivain doit partager avec l'éditeur tout ce qu'il touche sur sa copie dans les revues et les journaux, en sorte — n'est-ce pas monstrueux et ce voleur légal ne devrait-il pas être mis au ban de l'opinion et privé de la poignée de mains des honnêtes gens ? — en sorte que Calmann-Lévy a touché la moitié des articles publiés dans *Le Figaro* sur le Tonkin [1]. »

Jean-Yves Mollier, dans *L'Argent et les lettres*, a étudié les rapports difficiles de Loti et de Calmann Lévy à partir de 1884 (p. 474 et suiv.). Le 5 mars 1887, Loti signe donc avec les éditeurs Guillaume frères un contrat pour « un roman qui devra leur être livré fin août 1887.

« 2. L'étendue de ce roman sera de deux cent cinquante pages de texte environ. Le titre provisoire est *Madame Chrysanthème.*

« 3. Messieurs E. Guillaume et Cie se proposent de publier ce livre en diverses éditions : une première édition illustrée en format in-8, une seconde édition populaire in-18. Le tirage de ces éditions est illimité ».

Loti obtenait des droits d'auteur de 15 % sur la grande édition, et de 24 % sur la petite, avec un à-valoir de vingt mille francs.

E. Guillaume s'engageait par ailleurs à donner la préférence à « Monsieur Calmann-Lévy, libraire à Paris pour lui confier la vente de la grande et de la petite édition ».

Loti avait tout simplement et malheureusement oublié qu'il avait, en mai 1886, signé avec Calmann-Lévy un contrat pour *trois* œuvres : s'il leur avait bien livré *Pêcheur d'Islande* (1886) et *Propos d'exil* (1887), le troisième titre n'avait pas été fourni. Le contrat avec Guillaume était en fait annulé.

Guillaume et C. Lévy s'entendirent donc le 11 février 1888 (après la parution du roman) : le premier conservait l'édition in-8 mais cédait l'autre à C. Lévy. A la suite de cette incartade, Loti devait

1. E. et J. de Goncourt, *Journal*, Robert Laffont, « Bouquins », t. II, p. 1047.

obtenir de meilleures conditions chez Calmann-Lévy.

La première édition est publiée en décembre 1887, avec de nombreuses illustrations de Rossi et Myrbach. La page de couverture (voir hors texte) porte : « Edition du *Figaro,* Calmann-Lévy, 1888, la page intérieure : Collection E. Guillaume et Cie » ; *Le Figaro* patronnait certaines éditions de prestige, comme celle-ci. Le succès fut immédiat. Le livre sera publié en édition ordinaire par Calmann-Lévy en 1893.

Les illustrations furent l'occasion pour Loti de demander à... Georges Calmann-Lévy d'intervenir auprès de Guillaume pour faire modifier ou supprimer les images le représentant : « (fin 1887 ?) Maintenant que je vous dise mon grand ennui et ma grande inquiétude au sujet de « Chrysanthème ». Je parcours le volume, rempli d'images charmantes, mais où l'on m'a mis en scène plusieurs fois, contre mes prières réitérées. On pensera que je l'ai désiré, ce qui semblera d'un mauvais goût achevé. Et le plus grave c'est que Rossi m'a fait toujours et partout d'une exaspérante laideur. » Dans une autre lettre il parle[1] de « mes figures grotesques — avez-vous remarqué page 281, mes longs cheveux de 1830 et mon air ravagé et, page 295, ma tête de Chinois malade J'écris à M. Guillaume que, à mon avis, il y a là de quoi nuire non seulement à la vente de ce livre, mais à celle de mes livres en général. Cela semble une plaisanterie, mais je suis convaincu moi que les femmes (et ce sont les femmes qui m'achètent) se détourneront d'un auteur aussi déplaisamment laid. Donc, je vous supplie, vous et je supplie M. Guillaume (je ne sais qui cela regarde) de faire immédiatement... » [manque la fin de la lettre].

Il n'y a pas de différences notables entre les textes des deux éditions : quelques intervalles avaient été omis en 1893 entre des paragraphes (surtout lorsqu'ils survenaient en bas de page) : nous les avons rétablis

1. Correspondance (inédite) communiquée, de même que le contrat Guillaume, par M. J.-Y. Mollier.

en suivant la première édition, ainsi que quelques signes de ponctuation, et les italiques dans la dédicace. Nous avons bien sûr respecté les transcriptions que Loti donne des termes japonais (guécha, etc.). Les notes en bas de page appelées par un * font partie du texte de Loti.

Parmi les nombreuses éditions illustrées de *Madame Chrysanthème,* signalons celle de Foujita en 1925.

B.V.

MADAME CHRYSANTHÈME

A MADAME

LA DUCHESSE DE RICHELIEU[1]

Madame la duchesse,

Veuillez agréer ce livre comme un hommage de très respectueuse amitié.

J'hésitais à vous l'offrir, parce que la donnée n'en est pas bien correcte ; mais j'ai veillé à ce que l'expression ne fût jamais de mauvais aloi, et j'espère y être parvenu.

C'est le journal d'un été de ma vie, auquel je n'ai rien changé[2]*, pas même les dates, je trouve que, quand on* arrange *les choses, on les dérange toujours beaucoup. Bien que le rôle le plus long soit en apparence à madame Chrysanthème, il est bien certain que les trois principaux personnages sont* Moi, *le* Japon *et l'*Effet *que ce pays m'a produit.*

Vous rappelez-vous une photographie[3] *— assez comique, j'en conviens — représentant le grand Yves*[4]*, une Japonaise et moi, alignés sur une même carte d'après les indications d'un artiste de Nagasaki ? — Vous avez souri quand je vous ai affirmé que cette petite personne, entre nous deux, si soigneusement peignée, avait été* une de mes voisines. *Veuillez recevoir mon livre avec ce même sourire indulgent, sans y chercher aucune portée morale dangereuse ou bonne, — comme vous recevriez une potiche drôle, un magot d'ivoire, un bibelot saugrenu quelconque, rapporté pour vous de cette étonnante patrie de toutes les saugrenuités...*

Avec un grand respect, madame la duchesse,
votre affectionné,

PIERRE LOTI.

AVANT-PROPOS

En mer, aux environs de deux heures du matin, par une nuit calme, sous un ciel plein d'étoiles.

Yves se tenait sur la passerelle auprès de moi, et nous causions du pays, absolument nouveau pour nous deux, où nous conduisaient cette fois les hasards de notre destinée. C'était le lendemain que nous devions atterrir ; cette attente nous amusait et nous formions mille projets.

— Moi, disais-je, aussitôt arrivé, je me marie...

— Ah ! fit Yves, de son air détaché, en homme que rien ne surprend plus.

— Oui... avec une petite femme à peau jaune, à cheveux noirs, à yeux de chat. — Je la choisirai jolie. — Elle ne sera pas plus haute qu'une poupée. — Tu auras ta chambre chez nous. — Ça se passera dans une maison de papier, bien à l'ombre, au milieu des jardins verts. — Je veux que tout soit fleuri alentour ; nous habiterons au milieu des fleurs, et chaque matin on remplira notre logis de bouquets, de bouquets comme jamais tu n'en as vu...

Yves semblait maintenant prendre intérêt à ces projets de ménage. Il m'eût d'ailleurs écouté avec autant de confiance, si je lui avais manifesté l'intention de prononcer des vœux temporaires chez des moines de ce pays, ou bien d'épouser quelque reine des îles et de m'enfermer avec elle, au milieu d'un lac enchanté, dans une maison de jade.

Mais c'était réellement bien arrêté dans ma tête, ce plan d'existence que je lui exposais là. Par ennui, mon Dieu, par solitude, j'en étais venu peu à peu à imaginer et à désirer ce mariage. — Et puis surtout, vivre un peu *à terre,* en un recoin ombreux, parmi les arbres et les fleurs, comme cela était tentant, après ces mois de notre existence que nous venions de perdre aux Pescadores [5] (qui sont des îles chaudes et sinistres, sans verdure, sans bois, sans ruisseaux, ayant l'odeur de la Chine et de la mort).

Nous avions fait beaucoup de chemin en latitude, depuis que notre navire était sorti de cette fournaise chinoise, et les constellations de notre ciel avaient rapidement changé : la Croix du Sud disparue avec les autres étoiles australes, la Grande-Ourse était remontée vers le zénith et se tenait maintenant presque aussi haut que dans le ciel de France. Déjà l'air plus frais qu'on respirait cette nuit-là nous reposait, nous vivifiait délicieusement, — nous rappelait nos nuits de quart d'autrefois, l'été, sur les côtes bretonnes...

Et pourtant, à quelle distance nous en étions, de ces côtes familières, à quelle distance effroyable !...

I

Au petit jour naissant, nous aperçûmes le Japon.

Juste à l'heure prévue, il apparut, encore lointain, en un point précis de cette mer qui, pendant tant de jours, avait été l'étendue vide.

Ce ne fut d'abord qu'une série de petits sommets roses (l'archipel avancé des Fukaï[6], au soleil levant). Mais derrière, tout le long de l'horizon, on vit bientôt comme une lourdeur en l'air, comme un voile pesant sur les eaux : c'était cela, le vrai Japon, et peu à peu, dans cette sorte de grande nuée confuse, se découpèrent des silhouettes tout à fait opaques qui étaient la montagnes de Nagasaki.

Nous avions vent debout, une brise fraîche qui augmentait toujours, comme si ce pays eût soufflé de toutes ses forces contre nous pour nous éloigner de lui. — La mer, les cordages, le navire, étaient agités et bruissants.

II

Vers trois heures du soir, toutes ces choses lointaines s'étaient rapprochées, rapprochées jusqu'à nous surplomber de leurs masses rocheuses ou de leurs fouillis de verdure.

Et nous entrions maintenant dans une espèce de couloir ombreux, entre deux rangées de très hautes montagnes, qui se succédaient avec une bizarrerie symétrique — comme les « portants » d'un décor tout en profondeur, extrêmement beau, mais pas assez naturel. — On eût dit que ce Japon s'ouvrait devant nous, en une déchirure enchantée, pour nous laisser pénétrer dans son cœur même.

Au bout de cette baie longue et étrange, il devait y avoir Nagasaki qu'on ne voyait pas encore. Tout était admirablement vert. La grande brise du large, brusquement tombée, avait fait place au calme ; l'air, devenu très chaud, se remplissait de parfums de fleur. Et, dans cette vallée, il se faisait une étonnante musique de cigales ; elles se répondaient d'une rive à l'autre ; toutes ces montagnes résonnaient de leurs bruissements innombrables ; tout ce pays rendait comme une incessante vibration de cristal. Nous frôlions au passage des peuplades de grandes jonques, qui glissaient tout doucement, poussées par des brises imperceptibles ; sur l'eau à peine froissée, on ne les entendait pas marcher ; leurs voiles blanches, tendues sur des vergues horizontales, retombaient mollement, drapées à mille plis comme des stores ; leurs poupes compliquées se relevaient en château, comme celles des nefs du moyen âge. Au milieu du vert intense de ces murailles de montagnes, elles avaient une blancheur neigeuse.

Quel pays de verdure et d'ombre, ce Japon, quel Eden inattendu !...

Dehors, en pleine mer, il devait faire encore grand jour ; mais ici, dans l'encaissement de cette vallée, on avait déjà une impression de soir ; au-dessous des sommets très éclairés, les bases, toutes les parties plus touffues avoisinant les eaux, étaient dans une pénombre de crépuscule. Ces jonques qui passaient, si blanches sur le fond sombre des feuillages, étaient manœuvrées sans bruit, merveilleusement, par de petits hommes jaunes, tout nus avec de longs cheveux peignés en bandeaux de femme. — A mesure qu'on s'enfonçait dans le couloir vert, les senteurs devenaient plus pénétrantes et le tintement monotone des cigales s'enflait comme un crescendo d'orchestre. En haut, dans la découpure lumineuse du ciel entre les montagnes, planaient des espèces de gerfauts qui faisaient : « Han ! Han ! Han ! » avec un son profond de voix humaine ; leurs cris détonnaient là tristement, prolongés par l'écho.

Toute cette nature exubérante et fraîche portait en elle-même une étrangeté japonaise ; cela résidait dans je ne sais quoi de bizarre qu'avaient les cimes des montagnes et, si l'on peut dire, dans l'invraisemblance de certaines choses trop jolies. Des arbres s'arrangeaient en bouquets, avec la même grâce précieuse que sur les plateaux de laque. De grands rochers surgissaient tout debout, dans des poses exagérées, à côté de mamelons aux formes douces, couverts de pelouses tendres : des éléments disparates de paysage se trouvaient rapprochés, comme dans les sites artificiels.

... Et, en regardant bien, on apercevait çà et là, le plus souvent bâtie en porte-à-faux au-dessus d'un abîme, quelque vieille petite pagode mystérieuse, à demi cachée dans le fouillis des arbres suspendus : cela surtout jetait dès l'abord, aux nouveaux arrivants comme nous, la note lointaine et donnait le sentiment que, dans cette contrée, les Esprits, les Dieux des bois, les symboles antiques chargés de veiller sur les campagnes, étaient inconnus et incompréhensibles...

Quand Nagasaki parut, ce fut une déception pour nos yeux : au pied des vertes montagnes surplombantes, c'était une ville tout à fait quelconque. En avant, un pêle-mêle de navires portant tous les pavillons du monde, des paquebots comme ailleurs, des fumées noires et, sur les quais, des usines ; en fait de choses banales déjà vues partout, rien n'y manquait.

Il viendra un temps où la terre sera bien ennuyeuse à habiter, quand on l'aura rendue pareille d'un bout à l'autre, et qu'on ne pourra même plus essayer de voyager pour se distraire un peu...

Nous fîmes, vers six heures, un mouillage très bruyant, au milieu d'un tas de navires qui étaient là, et tout aussitôt nous fûmes envahis.

Envahis par un Japon mercantile, empressé, comique, qui nous arrivait à pleine barque, à pleine jonque, comme une marée montante : des bonshommes et des bonnes femmes entrant en longue file ininterrompue, sans cris, sans contestations, sans bruit, chacun avec une révérence si souriante qu'on n'osait pas se fâcher et qu'à la fin, par effet réflexe, on souriait soi-même, on saluait aussi. Sur leur dos ils apportaient tous des petits paniers, des petites caisses, des récipients de toutes les formes, inventés de la manière la plus ingénieuse pour s'emboîter, pour se contenir les uns les autres et puis se multiplier ensuite jusqu'à l'encombrement, jusqu'à l'infini ; il en sortait des choses inattendues, inimaginables ; des paravents, des souliers, du savon, des lanternes ; des boutons de manchettes, des cigales en vie chantant dans des petites cages ; de la bijouterie, et des souris blanches apprivoisées sachant faire tourner des petits moulins en carton ; des photographies obscènes ; des soupes et des ragoûts, dans des écuelles, tout chauds, tout prêts à être servis par portions à l'équipage ; — et des porcelaines, des légions de potiches, de théières, de tasses, de petits pots et d'assiettes... En un tour de main, tout cela, déballé, étalé par terre avec une prestesse prodigieuse et un certain art d'arrangement ; chaque vendeur accroupi à la singe, les mains touchant les pieds, derrière son bibelot — et toujours souriant, toujours cassé en deux par les plus gracieuses révérences. Et le pont du navire, sous ces amas de choses multicolores, ressemblant tout à coup à un immense bazar. Et les matelots, très amusés, très en gaieté, piétinant dans les tas, prenant le menton des marchandes, achetant de tout, semant à plaisir leurs piastres blanches...

Mais, mon Dieu, que tout ce monde était laid, mesquin, grotesque ! Etant donnés mes projets de mariage, j'en devenais très rêveur, très désenchanté...

Nous étions de service, Yves et moi, jusqu'au lendemain matin, et, après les premières agitations qui, à bord, suivent toujours les mouillages — (embarcations à mettre à la mer ; échelles, tangons à *pousser dehors*) — nous n'avions plus rien à faire qu'à regarder. Et nous nous disions : Où sommes-nous vraiment ? — Aux États-Unis ? — Dans une colonie anglaise d'Australie, — ou à la Nouvelle-Zélande ??...

Des consulats, des douanes, des manufactures ; un dock où trône une frégate russe ; toute une *concession* européenne avec des villas sur les hauteurs, et, sur les quais, des bars américains à l'usage des matelots. Là-bas, il est vrai, là-bas, derrière et plus loin que ces choses communes, tout au fond de l'immense vallée verte, des milliers et des milliers de maisonnettes noirâtres, un fouillis d'un aspect un peu étrange d'où émergent çà et là de plus hautes toitures peintes en rouge sombre : probablement le vrai, le vieux Nagasaki japonais qui subsiste encore... Et dans ces quartiers, qui sait, minaudant derrière quelque paravent de papier, la petite femme à yeux de chat... que peut-être... avant deux ou trois jours (n'ayant pas de temps à perdre) j'aurai épousée !!... C'est égal, je ne la vois plus bien, cette petite personne ; les marchandes de souris blanches qui sont ici m'ont gâté son image ; j'ai peur à présent qu'elle ne leur ressemble...

A la nuit tombante, le pont de notre navire se vida comme par enchantement ; ayant en un tour de main refermé leurs boîtes, replié leurs paravents à coulisses, leurs éventails à ressorts ; ayant fait à chacun de nous la révérence très humble, les petits bonshommes et les petites bonnes femmes s'en allèrent.

Et à mesure que la nuit descendait, confondant les choses dans de l'obscurité bleuâtre, ce Japon où nous étions redevenait peu à peu, peu à peu, un pays d'enchantements et de féerie. Les grandes montagnes, toutes noires à présent, se dédoublaient par la base dans l'eau immobile qui nous portait, se reflétaient avec leurs découpures renversées, donnant l'illusion de précipices effroyables au-dessus desquels nous aurions été suspendus ; — et les étoiles, renversées aussi, faisaient dans le fond du gouffre imaginaire comme un semis de petites taches de phosphore.

Puis tout ce Nagasaki s'illuminait à profusion, se couvrait de lanternes à l'infini ; le moindre faubourg s'éclairait, le moindre village ; la plus infime cabane, qui était juchée là-haut dans les arbres et que, dans le jour, on n'avait même pas vue, jetait sa petite lueur de ver luisant. Bientôt il y en eut, des lumières, il y en eut partout ; de tous les côtés de la baie, du haut en bas des montagnes, des myriades de feux brillaient dans le noir, donnant l'impression d'une capitale immense, étagée autour de nous en un vertigineux amphithéâtre. Et en dessous, tant l'eau était tranquille, une autre ville, aussi illuminée, descendait au fond de l'abîme. La nuit était tiède, pure, délicieuse ; l'air rempli d'une odeur de fleurs que les montagnes nous envoyaient. Des sons de guitares, venant des « maisons de thé » ou des mauvais lieux nocturnes, semblaient, dans l'éloignement, être des musiques suaves. Et ce chant des cigales, — qui est au Japon un des bruits éternels de la vie, auquel nous ne devions plus prendre garde quelques jours plus tard tant il est ici le fond même de tous les bruits terrestres, — on l'entendait, sonore, incessant, doucement monotone comme la chute d'une cascade de cristal...

III

Il pleuvait par torrents le lendemain ; une de ces pluies d'abat, sans trêve, sans merci, aveuglante, inondant tout ; une pluie drue à ne pas se voir d'un bout du navire à l'autre. On eût dit que les nuages du monde entier s'étaient réunis dans la baie de Nagasaki, avaient pris rendez-vous dans ce grand entonnoir de verdure pour y ruisseler à leur aise. Et il pleuvait, pleuvait ; il faisait presque nuit, tant cela tombait épais. A travers un voile d'eau émiettée, on apercevait encore la base des montagnes ; mais quant aux cimes, elles étaient perdues dans les grosses masses sombres qui pesaient sur nous. On voyait des lambeaux de nuages, qui avaient l'air de se détacher de la voûte obscure, qui traînaient là-haut sur les arbres comme de grandes loques grises, — et qui toujours fondaient en eau, en eau torrentielle. Il y avait du vent aussi ; on l'entendait hurler dans les ravins avec une voix profonde. — Et toute la surface de la baie, piquée de pluie, tourmentée par des tourbillons qui arrivaient de partout, clapotait, gémissait, se démenait dans une agitation extrême.

Un vilain temps pour mettre pied à terre une première fois... Comment aller chercher épouse, sous ce déluge, dans un pays inconnu !...

Tant pis ! Je fais toilette et je dis à Yves, — qui sourit à mon idée de promenade quand même :

— Fais-moi accoster un « sampan », frère, je te prie.

Yves alors, d'un geste de bras dans le vent et la pluie, appelle une espèce de petit sarcophage en bois blanc, qui sautillait près de nous sur la mer, mené à la godille par deux enfants jaunes tout nus sous l'averse. — La chose s'approche ; je m'élance dessus ; puis, par une petite trappe en forme de ratière que m'ouvre l'un des godilleurs, je me glisse et m'étends tout de mon long sur une natte — dans ce que l'on appelle la « cabine » d'un sampan.

J'ai juste la place de mon corps couché, dans ce cercueil flottant — qui est d'ailleurs d'une propreté minutieuse, d'une blancheur de sapin neuf. Je suis bien abrité de la pluie, qui tambourine sur mon couvercle, et me voilà en route pour la ville, naviguant à plat ventre dans cette boîte ; bercé par une lame, secoué méchamment par une autre, à moitié retourné quelquefois — et, dans l'entre-bâillement de ma ratière, apercevant de bas en haut les deux petits personnages à qui j'ai confié mon sort : enfants de huit ou dix ans tout au plus, ayant des minois de ouistiti, mais déjà musclés comme de vrais hommes en miniature, déjà adroits comme de vieux habitués de la mer.

... Ils poussent les hauts cris : c'est que sans doute nous abordons ! — En effet, par ma trappe, que je viens d'ouvrir en grand, je vois les dalles grises du quai, là tout près. Alors j'émerge de mon sarcophage, me disposant à mettre le pied, pour la première fois de ma vie, sur le sol japonais.

Tout ruisselle de plus en plus et la pluie fouette dans les yeux, irritante, insupportable.

A peine suis-je à terre, qu'une dizaine d'êtres étranges, difficiles à définir dès l'abord à travers l'ondée aveuglante — espèces de hérissons humains traînant chacun quelque chose de grand et de noir — bondissent sur moi, crient, m'entourent, me barrent le passage. L'un d'eux a ouvert sur ma tête un immense parapluie, à nervures très rapprochées, sur lequel des cigognes sont peintes en transparent, — et les voici qui me sourient tous, la figure engageante, avec un air d'attendre.

On m'avait prévenu : ce sont simplement des *djins* qui se disputent l'honneur de ma préférence ; cependant je suis saisi de cette attaque brusque, de cet accueil du Japon pour une première visite. (Des *djins* ou des *djin-richisans*, cela veut dire des hommes-coureurs traînant de petits chars et voiturant des particuliers pour de l'argent ; se louant à l'heure ou à la course, comme chez nous les fiacres.)

Leurs jambes sont nues jusqu'en haut, — aujourd'hui très mouillées, — et leur tête se cache sous un grand chapeau de forme abat-jour. Ils portent un manteau waterproof en paillasson, tous les bouts de paille en dehors, hérissés à la porc-épic ; on les dirait habillés avec le toit d'une chaumière. — Ils continuent de sourire, attendant mon choix.

N'ayant l'honneur d'en connaître aucun, j'opte à la légère pour le djin au parapluie et je monte dans sa petite voiture, dont il rabat sur moi la capote, bien bas, bien bas. Sur mes jambes il étend un tablier ciré, me le remonte jusqu'aux yeux, puis s'avance et me dit en japonais quelque chose qui doit signifier ceci : « Où faut-il vous conduire, mon bourgeois ? » A quoi je réponds dans la même langue : « Au *Jardin-des-Fleurs*, mon ami ! »

J'ai répondu cela en trois mots appris par cœur, un peu à la manière perroquet, étonné que cela pût avoir un sens, étonné d'être compris, — et nous partons, lui courant ventre à terre ; moi traîné par lui, tressautant sur la route dans son char léger, enveloppé de toiles cirées, enfermé comme dans une boîte ; — toujours arrosés tous deux, faisant jaillir l'eau et la boue du sol détrempé.

« Au *Jardin-des-Fleurs* », ai-je dit comme un habitué, surpris moi-même de m'entendre. C'est que je suis moins naïf en japonerie qu'on ne pourrait le croire. Des amis qui reviennent de cet empire m'ont fait la leçon, et je sais beaucoup de choses : ce *Jardin-des-Fleurs* est une *maison de thé,* un lieu de rendez-vous élégant. Une fois là, je demanderai un certain Kangourou-San[7], qui est à la fois interprète, blanchisseur et agent discret pour croisements de races. Et ce soir peut-être, si mes affaires marchent à souhait, je serai présenté à la jeune fille que le sort mystérieux me destine... Cette pensée me tient l'esprit en éveil pendant la course haletante que nous faisons, mon djin et moi, l'un roulant l'autre, sous l'averse inexorable...

Oh ! le singulier Japon entrevu ce jour-là, par l'entrebâillement de ces toiles cirées, par-dessous la capote ruisselante de ma petite voiture ! Un Japon maussade, crotté, à demi noyé. Tout cela, maisons, bêtes ou gens, que je ne connaissais encore qu'en images ; tout cela que j'avais vu peint sur les fonds bien bleus ou bien roses des écrans et des potiches, m'apparaissant dans la réalité sous un ciel noir, en parapluie, en sabots, piteux et troussé.

Par instants l'ondée tombe si fort que je ferme tout bien juste ; je m'engourdis dans le bruit et les secousses, oubliant tout à fait dans quel pays je suis. — Cette capote de voiture a des trous qui me font couler des petits ruisseaux dans le dos. — Ensuite, me rappelant que je voyage en plein Nagasaki et pour la première fois de ma vie, je jette un regard curieux dehors, au risque de recevoir une douche : nous trottons dans quelque petite rue triste et noirâtre (il y en a comme ça un dédale, des milliers) ; des cascades dégringolent des toits sur les pavés luisants ; la pluie fait dans l'air des hachures grises qui embrouillent les choses. — Parfois nous croisons une dame, empêtrée dans sa robe, mal assurée sur ses hautes chaussures de bois, personnage de paravent qui se trousse sous un parapluie de papier peinturluré. Ou bien nous passons devant une entrée de pagode, et alors quelque vieux monstre de granit, assis le derrière dans l'eau, me fait la grimace, féroce.

Mais comme c'est grand, ce Nagasaki ! Voilà près d'une heure que nous courons à toutes jambes et cela ne paraît pas finir. Et c'est en plaine ; on ne soupçonnait pas cela, de la rade, qu'il y eût une plaine si étendue dans ce fond de vallée.

Par exemple, il me serait impossible de dire où je suis, dans quelle direction nous avons couru ; je m'abandonne à mon djin et au hasard.

Et quel homme-vapeur, mon djin ! J'étais habitué aux coureurs chinois, mais ce n'était rien de pareil. Quand j'écarte mes toiles cirées pour regarder quelque chose, c'est toujours lui, cela va sans dire, que j'aperçois au premier plan ; ses deux jambes nues, fauves, musclées, détalant l'une devant l'autre, éclaboussant tout, et son dos de hérisson, courbé sous la pluie. — Les gens qui voient passer ce petit char, si arrosé, se doutent-ils qu'il renferme un prétendant en quête d'une épouse ?...

Enfin mon équipage s'arrête, et mon djin, souriant, avec des précautions pour ne pas me faire couler de nouvelles rivières dans le cou, abaisse la capote de ma voiture ; il y a une accalmie dans le déluge, il ne pleut plus. — Je n'avais pas encore vu son visage ; il est assez joli, par exception ; c'est un jeune homme d'une trentaine d'années, à l'air vif et vigoureux, au regard ouvert... Et qui m'eût dit que, peu de jours plus tard, ce même djiñ... Mais non, je ne veux pas ébruiter cela encore ; ce serait risquer de jeter sur Chrysanthème une déconsidération anticipée et injuste...

Donc, nous venons de nous arrêter. C'est à la base même d'une grande montagne surplombante ; nous avons dû dépasser la ville, probablement, et nous sommes dans la banlieue, à la campagne. Il faut mettre pied à terre, paraît-il, et grimper à présent par un sentier étroit presque à pic. Autour de nous, il y a des maisonnettes de faubourg, des clôtures de jardin, des palissades en bambou très élevées masquant la vue. La verte montagne nous écrase de toute sa hauteur, et des nuées basses, lourdes, obscures, se tiennent au-dessus de nos têtes comme un couvercle oppressant qui achèverait de nous enfermer dans ce recoin inconnu où nous sommes ; vraiment il semble que cette absence de lointains, de perspectives, dispose mieux à remarquer tous les détails de ce très petit bout de Japon intime, boueux et mouillé, que nous avons sous les yeux. — La terre de ce pays est bien rouge. — Les herbes, les fleurettes qui bordent le chemin me sont étrangères ; — pourtant, dans la palissade, il y a des liserons comme les nôtres, et je reconnais dans les jardins des marguerites-reines, des zinias, d'autres fleurs de France. L'air a une odeur compliquée ; aux senteurs des plantes et de la terre s'ajoute autre chose, qui vient des demeures humaines sans doute : on dirait un mélange de poisson sec et d'encens. Personne ne passe ; des habitants, des intérieurs, de la vie, rien ne se montre, et je pourrais aussi bien me croire n'importe où.

Mon djin a remisé sous un arbre sa petite voiture, et nous montons ensemble dans ce chemin raide, sur ce sol rouge où nos pieds glissent.

— Nous allons bien au *Jardin-des-Fleurs ?* dis-je, inquiet de savoir si j'ai été compris.

— Oui, oui, fait le djin, c'est là-haut et c'est tout près.

Le chemin tourne, devient encaissé et sombre. D'un côté, la paroi de la montagne, toute tapissée de fougères mouillées ; de l'autre, une grande maison de bois, presque sans ouvertures et d'un mauvais aspect : c'est là que mon djin s'arrête.

Comment, cette maison sinistre, le *Jardin-des-Fleurs ?* — Il prétend que oui, l'air très sûr de son fait. Nous frappons à une grosse porte qui aussitôt glisse dans ses rainures et s'ouvre. — Alors deux petites bonnes femmes apparaissent, drôlettes, presque vieillottes ; mais ayant conservé des prétentions, cela se voit tout de suite ; tenues de potiche très correctes, mains et pieds d'enfant.

A peine m'ont-elles vu, qu'elles tombent à quatre

pattes, le nez contre le plancher. — Ah ! mon Dieu, qu'est-ce qui leur arrive ? — Rien du tout, c'est simplement le salut de grande cérémonie qui se fait ainsi ; je n'en avais point l'habitude encore. Les voilà relevées, s'empressant à me déchausser (on n'entre jamais avec ses souliers dans une maison nipponne), à essuyer le bas de mon pantalon, à toucher si mes épaules ne sont pas trempées.

Ce qui frappe dès l'abord, dans ces intérieurs japonais, c'est la propreté minutieuse, et la nudité blanche, glaciale.

Sur des nattes irréprochables, sans un pli, sans un dessin, sans une souillure, on me fait monter au premier étage, dans une grande pièce où il n'y a rien, absolument rien. Les murs en papier sont composés de châssis à coulisse, pouvant rentrer les uns dans les autres, au besoin disparaître, — et tout un côté de l'appartement s'ouvre en véranda sur la campagne verte, sur le ciel gris. Comme siège, on m'apporte un carreau de velours noir, et me voilà assis très bas au milieu de cette pièce vide où il fait presque froid, — les deux petites bonnes femmes (qui sont les servantes de la maison et les miennes très humbles) attendant mes ordres dans des postures de soumission profonde.

C'est incroyable que cela signifie quelque chose, ces mots baroques, ces phrases que j'ai apprises là-bas, pendant notre exil aux Pescadores, à coups de lexique et de grammaire, mais sans conviction aucune. — Il paraît bien que si, pourtant ; on me comprend tout de suite.

Je veux d'abord parler à ce monsieur Kangourou, qui est *interprète*, *blanchisseur* et *agent discret pour grands mariages*. — C'est parfait ; on le connaît, on va sur l'heure me l'aller quérir, et l'aînée des servantes prépare dans ce but ses socques de bois, son parapluie de papier.

Ensuite, je veux qu'on m'apporte une collation bien servie, composée de choses japonaises raffinées. — De mieux en mieux ; on se précipite aux cuisines pour commander cela.

Enfin je veux qu'on serve du thé et du riz à mon djin qui m'attend en bas ; — je veux, je veux beaucoup de choses, mesdames les poupées, je vous les dirai à mesure, posément, quand j'aurai eu le temps de rassembler mes mots... Mais, plus je vous regarde, plus je m'inquiète de ce que va être ma fiancée de demain. — Presque mignonnes, je vous l'accorde, vous l'êtes, — à force de drôlerie, de mains délicates, de pieds en miniature ; mais laides, en somme, et puis ridiculement petites, un air bibelot d'étagère, un air ouistiti, un air je ne sais quoi...

... Je commence à comprendre que je suis arrivé dans cette maison à un moment mal choisi. Il s'y passe quelque chose qui ne me regarde pas, et je gêne.

Dès l'abord, j'aurais pu deviner cela, malgré la politesse excessive de l'accueil — car je me rappelle à présent, pendant qu'on me déchaussait en bas, j'ai entendu des chuchotements au-dessus de ma tête, puis un bruit de panneaux que l'on faisait courir très vite dans leurs glissières ; évidemment c'était pour me cacher ce que je ne devais pas voir ; on improvisait pour moi l'appartement où je suis, — comme, dans les ménageries, on fait un compartiment séparé à certaines bêtes pendant la représentation.

Maintenant on m'a laissé seul, tandis que mes ordres s'exécutent, et je tends l'oreille, accroupi comme un Bouddha sur mon coussin de velours noir, au milieu de la blancheur de ces nattes et de ces murs.

Derrière les cloisons de papier, des voix fatiguées, qui semblent nombreuses, parlent tout bas. Puis un son de guitare et un chant de femme s'élèvent, plaintifs, assez doux, dans la sonorité de cette maison nue, dans la mélancolie de ce temps de pluie.

Par la véranda toute grande ouverte, ce que l'on voit

est bien joli, je le reconnais ; cela ressemble à un paysage enchanté. Des montagnes admirablement boisées, montant haut dans le ciel toujours sombre, y cachant les pointes de leurs cimes, — et, perché dans les nuages, un temple. L'air a cette transparence absolue, les lointains cette netteté qui suivent les grandes averses ; mais une voûte épaisse, encore chargée d'eau, reste tendue au-dessus de tout, et, sur les feuillages des bois suspendus, il y a comme de gros flocons de ouate grise qui se tiennent immobiles. Au premier plan, en avant et en bas de toutes ces choses presque fantastiques, est un jardin en miniature — où deux beaux chats blancs se promènent, s'amusent à se poursuivre dans les allées d'un labyrinthe lilliputien, en secouant leurs pattes parce que le sable est plein d'eau. Le jardin est maniéré au possible : aucune fleur, mais des petits rochers, des petits lacs, des arbres nains taillés avec un goût bizarre ; tout cela, pas naturel, mais si ingénieusement composé, si vert, avec des mousses si fraîches !...

Un grand silence au dehors, dans ces campagnes mouillées que je domine ; un calme absolu, jusque là-bas dans les fonds du décor immense. Mais la voix de femme, derrière le mur de papier, chante toujours avec une extrême douceur triste ; la guitare qui l'accompagne a des notes graves, un peu lugubres...

Tiens !... cela s'accélère à présent, — et on dirait même que l'on danse !

Tant pis ! Je vais essayer de regarder entre les châssis légers, — par une fente que j'aperçois là-bas.

Oh ! le spectacle singulier : évidemment de jeunes élégants de Nagasaki en train de faire la grande fête clandestine ! Dans un appartement aussi nu que le mien, ils sont là une douzaine assis en rond par terre ; longues robes en coton bleu à manches pagodes, longs cheveux gras et plats surmontés d'un chapeau européen de forme *melon ;* figures niaises, jaunes, épuisées, exsangues. A terre, une quantité de petits réchauds, de petites pipes, de petits plateaux de laque, de petites théières, de petites tasses ; — tous les accessoires et tous les restes d'une orgie japonaise ressemblant à une dînette d'enfants. Et, au milieu du cercle de ces dandies, trois femmes très parées, autant dire trois visions étranges : robes de couleurs pâles et sans nom, brodées de chimères d'or ; grands chignons arrangés avec un art inconnu, piqués d'épingles et de fleurs. Deux sont assises et me tournent le dos : l'une tenant la guitare ; l'autre, celle qui chante de cette voix si douce ; — elles sont exquises de pose, de costume, de cheveux, de nuque, de tout, ainsi vues furtivement par derrière, et je tremble qu'un mouvement ne me montre leur visage qui sans doute me désenchantera. La troisième est debout et danse devant cet aréopage d'imbéciles, devant ces chapeaux melon et ces cheveux plats... Oh ! quelle épouvante quand elle se retourne ! Elle porte sur la figure le masque horrible, contracté, blême, d'un spectre ou d'un vampire... Le masque se détache et tombe... Elle est un amour de petite fée, pouvant bien avoir douze ou quinze ans, svelte, déjà coquette, déjà femme, — vêtue d'une longue robe de crépon bleu nuit, ombré, avec une broderie représentant des chauves-souris grises, des chauves-souris noires, des chauves-souris d'or...

Des pas dans l'escalier, des pieds de femme, légers, déchaussés, froissant les nattes blanches... Sans doute le premier service de mon lunch que l'on m'apporte. — Vite je retombe immobile, fixe, sur mon coussin de velours noir.

Elles sont trois maintenant, trois servantes qui arrivent à la file, avec des sourires et des révérences. L'une me présente le réchaud et la théière ; l'autre, des fruits confits dans de délicieuses petites assiettes ; l'autre encore, des choses indéfinissables sur des bijoux de petits plateaux. Et elles s'accroupissent devant moi par terre, déposant à mes pieds toute cette dînette.

A ce moment, j'ai une impression de Japon assez charmante ; je me sens entré en plein dans ce petit monde imaginé, artificiel, que je connaissais déjà par les peintures des laques et des porcelaines. C'est si bien cela ! Ces trois petites femmes assises, gracieuses, mignardes, avec leurs yeux bridés, leurs beaux chignons en coques larges, lisses et comme vernis ; — et ce petit service par terre ; — et ce paysage entrevu par la véranda, cette pagode perchée dans les nuages ; — et cette préciosité qui est partout, même dans les choses. C'est si bien cela aussi, cette voix mélancolique de femme, qui continue de se faire entendre derrière la cloison de papier ; c'est ainsi évidemment qu'elles devaient chanter, ces musiciennes que j'avais vues jadis peintes en couleurs bizarres sur papier de riz et fermant à demi leurs petits yeux vagues, au milieu de fleurs trop grandes. Je l'avais deviné, ce Japon-là, bien longtemps avant d'y venir. Peut-être pourtant, dans la réalité, me semble-t-il diminué, plus mièvre encore, et plus triste aussi, — sans doute à cause de ce suaire de nuages noirs, à cause de cette pluie...

En attendant M. Kangourou (qui va arriver, paraît-il, qui s'habille), faisons la dînette.

Dans un bol des plus mignons, orné de cigognes envolées, il y a un potage invraisemblable, aux algues. Ailleurs, des petits poissons secs au sucre, des crabes au sucre, des haricots au sucre, des fruits au vinaigre et au poivre. Tout cela atroce, mais surtout imprévu, inimaginable. Elles me font manger, les petites femmes, riant beaucoup, de ce rire perpétuel, agaçant, qui est le rire japonais, — manger à leur manière, avec de gentilles baguettes et un doigté plein de grâce. Je m'habitue à leurs figures. L'ensemble de tout cela est raffiné, — d'un raffinement très à côté du nôtre par exemple, que je ne puis guère bien comprendre à première vue, mais qui à la longue finira peut-être par me plaire.

... Entre tout à coup, comme un papillon de nuit réveillé par le plein jour, comme une phalène rare et surprenante, la danseuse d'à côté, l'enfant qui portait le masque sinistre. C'est pour me voir sans doute. Elle roule des yeux de chatte craintive; puis, apprivoisée tout de suite, vient s'appuyer contre moi, avec une câlinerie de bébé qui sonne adorablement faux. Elle est mignonne, fine, élégante; elle sent bon. Drôlement peinte, blanche comme du plâtre, avec un petit rond rose bien régulier au milieu de chaque joue; la bouche carminée et un peu de dorure soulignant la lèvre inférieure. Comme on n'a pas pu blanchir la nuque, à cause des cheveux follets qui sont nombreux, on a, par amour de la correctitude, arrêté là le plâtrage blanc en une ligne droite que l'on dirait coupée au couteau; il en résulte, derrière son cou, un carré de peau naturelle, qui est très jaune...

Un son impérieux de guitare derrière la cloison, un appel évidemment! Crac, elle se sauve, la petite fée, s'en va retrouver les imbéciles d'à côté.

Si j'épousais celle-ci, sans chercher plus loin? Je la respecterais comme un enfant à moi confié; je la prendrais pour ce qu'elle est, pour un jouet bizarre et charmant. Quel amusant petit ménage cela me ferait! Vraiment, tant qu'à épouser un bibelot, j'aurais peine à trouver mieux...

Entrée de M. Kangourou. Complet en drap gris, de la *Belle-Jardinière* ou du *Pont-Neuf*, chapeau melon, gants de filoselle blancs. Figure à la fois rusée et niaise; presque pas de nez, presque pas d'yeux. Révérence à la japonaise : plongeon brusque, les mains posées à plat sur les genoux, le torse faisant angle droit avec les jambes comme si le bonhomme se cassait; petit sifflement de reptile (que l'on produit en aspirant la salive entre les dents et qui est le dernier mot de la politesse obséquieuse dans cet empire).

— Vous parlez français, monsieur Kangourou?

— Vi! Missieu!

Nouvelle révérence.

Il m'en fait pour chaque mot que je dis, comme s'il était un pantin à manivelle; quand il est assis devant moi par terre, cela se borne à un plongeon de la tête, — accompagné toujours du même bruit sifflant de salive.

— Une tasse de thé, monsieur Kangourou ?

Nouveau salut et geste très précieux des mains, comme pour dire : « J'oserais à peine ; c'est trop de condescendance de votre part... Enfin, pour vous obéir... »

Il a deviné, aux premiers mots, ce que j'attends de lui :

— Sans doute, répond-il, nous allons nous occuper de cela ; dans une huitaine de jours précisément une famille de Simonosaki [8], où il y a deux filles charmantes, doit arriver...

— Comment, dans une huitaine de jours ! Vous me connaissez mal, monsieur Kangourou ! Non, non, ce sera tout de suite, demain ou pas du tout.

Encore une révérence sifflante, et Kangourou-San, gagné par mon agitation, se met à passer en revue fiévreusement toutes les jeunes personnes disponibles à Nagasaki :

— Voyons, — il y avait bien mademoiselle Œillet... Oh ! quel dommage que je n'aie pas parlé deux jours plus tôt ! Si jolie, si habile à jouer de la guitare... C'est un irréparable malheur : elle a été prise avant-hier par un officier russe...

» Ah ! mademoiselle Abricot ! — Cela ferait-il mon affaire, cette demoiselle Abricot ? C'est la fille d'un riche marchand de porcelaines du bazar de Décima [9] ; une personne d'un grand mérite, mais elle coûterait fort cher : ses parents, qui en font beaucoup de cas, ne la céderaient pas à moins de cent *yen* * par mois. Elle est très instruite, sait couramment l'écriture commerciale et possède, au bout des doigts, plus de deux mille caractères d'écriture savante. Dans un concours de poésie, elle est arrivée première avec un morceau composé *à la louange des petites fleurs blanches des haies vues à la rosée du matin.* Seulement elle n'est pas très jolie de visage ; un de ses yeux est moins grand que l'autre — et un trou lui est resté dans une joue, d'un mal qu'elle avait eu étant enfant...

* Un *yen* vaut 5 francs.

— Oh ! non, alors, de grâce, pas elle. Cherchons parmi les jeunes personnes moins distinguées, mais n'ayant pas de cicatrice. Et celles qui sont là, à côté, en belles robes brodées d'or ? Par exemple, la danseuse au masque de spectre, monsieur Kangourou ?? ou encore celle qui chante d'une voix si douce et dont la nuque est si jolie ???

Il ne comprend pas bien d'abord de qui il s'agit ; puis, quand il a compris, secouant la tête, presque moqueur, il dit :

— Non, Missieu, non ! Ce sont des *Guéchas**, Missieu, — des *Guéchas*[10] *!*

— Eh bien, mais, pourquoi donc pas des *Guéchas ?* qu'est-ce que cela peut me faire, à moi, qu'elles soient des *Guéchas ?* — Plus tard, quand je serai mieux au courant des choses japonaises, peut-être apprécierai-je moi-même l'énormité de ma demande : on dirait vraiment que j'ai parlé d'épouser le diable...

Mais voici M. Kangourou qui se rappelle tout à coup une certaine mademoiselle Jasmin. — Mon Dieu, comment donc n'y avait-il pas songé tout de suite ; mais c'est absolument ce qu'il me faut ; il va dès demain, dès ce soir, faire des ouvertures aux parents de cette jeune personne, qui demeurent fort loin d'ici sur la colline d'en face dans le faubourg de Diou-djen-dji. C'est une demoiselle très jolie, d'une quinzaine d'années. On l'aurait probablement à dix-huit ou vingt piastres[11] par mois, à la condition de lui offrir quelques robes de bon goût et de la loger dans une maison agréable et bien située, — ce qu'un galant homme comme moi ne peut manquer de faire.

Va pour mademoiselle Jasmin, — et séparons-nous, l'heure presse. M. Kangourou viendra demain à mon bord me communiquer le résultat de ses premières démarches et se concerter avec moi pour l'entrevue. De rétribution, il n'en acceptera aucune pour le moment, mais je lui donnerai mon linge à blanchir et

* *Guéchas,* chanteuses et danseuses de profession formées au Conservatoire de Yeddo.

je lui procurerai la clientèle de mes camarades de la *Triomphante*.

C'est entendu.

Saluts profonds, — on me rechausse à la porte.

Mon djin, profitant de cet interprète que la chance lui a mis sous la main, se recommande à moi pour l'avenir : sa station est justement sur le quai ; son numéro est 415, écrit en chiffres français sur la lanterne de sa voiture (à bord, nous avons 415 Le Goëlec, fusilier, servant de gauche à l'une de mes pièces ; c'est bon, je retiendrai cela) ; son tarif est douze sous la course et dix sous l'heure, pour les habitués. — A merveille, il aura ma pratique, c'est promis. — Allons-nous-en. Les servantes, qui m'ont reconduit, tombent à quatre pattes pour le salut final et restent prosternées sur le seuil — tant que je suis en vue dans le sentier sombre où les fougères achèvent de s'égoutter sur ma tête...

IV

Trois jours ont passé. C'est à la tombée de la nuit, dans un appartement qui depuis la veille est le mien. — Nous nous promenons, Yves et moi, au premier étage, sur les nattes blanches, arpentant cette grande pièce vide dont le plancher sec et léger craque sous nos pas — un peu agacés l'un et l'autre par une attente qui se prolonge. Yves, qui a plus d'entrain dans son impatience, de temps en temps regarde au-dehors. Moi, tout à coup, je me sens froid au cœur, à l'idée que j'ai choisi et que je vais habiter cette maison perdue dans un faubourg d'une ville si étrangère, perchée haut dans la montagne, presque avoisinant les bois.

Quelle idée m'a pris, de m'installer dans tout cet inconnu qui sent l'isolement et la tristesse ?... L'attente m'énerve et je m'amuse à examiner les petits détails du logis. Les boiseries du plafond sont compliquées et ingénieuses. Sur les châssis de papier blanc qui forment les murailles, il y a un semis de petites, de microscopiques tortues bleues, à plumes...

— Ils sont en retard, dit Yves, qui regarde encore dans la rue.

Pour en retard, oui, ils le sont, d'une bonne heure déjà, et la nuit arrive, et le canot qui devait nous ramener à bord pour dîner va partir. Il faudra souper ce soir à la japonaise, qui sait où. Les gens de ce pays-ci n'ont aucune conscience de l'heure, du prix du temps.

Et je continue d'inspecter les menus détails drôles de ma maison. — Tiens ! au lieu de poignées, comme nous en aurions mis, nous, pour tirer ces châssis mobiles, ils ont placé des petits trous ovales ayant la forme d'un bout de doigt, destinés évidemment à introduire le pouce. — Et ces petits trous ont une garniture de bronze, — et, regardé de près, ce bronze est curieusement ouvragé : ici, c'est une dame qui s'évente ; ailleurs, dans le trou voisin, est représentée une branche de cerisier en fleurs. Quelle bizarrerie dans le goût de ce peuple ! S'appliquer à une œuvre en miniature, la cacher au fond d'un trou à mettre le pouce qui semble n'être qu'une tache au milieu d'un grand châssis blanc ; accumuler tant de patient travail dans des accessoires imperceptibles, — et tout cela pour arriver à produire un effet d'ensemble nul, un effet de nudité complète...

Yves regarde encore, comme sœur Anne. Du côté où il se penche, ma véranda donne sur une rue, plutôt sur un chemin bordé de maisons qui monte, monte, et se perd presque tout de suite dans les verdures de la montagne, dans les champs de thé, les broussailles, les cimetières. Moi, ça m'agace pour tout de bon, cette attente, et je regarde du côté opposé ; mon autre façade, en véranda aussi, s'ouvre sur un jardin d'abord, puis sur un panorama merveilleux de bois et de montagnes, avec tout le vieux Nagasaki japonais tassé en fourmilière noirâtre à deux cents mètres sous mes pieds. Ce soir, par un crépuscule terne, un crépuscule de juillet pourtant, — ces choses sont tristes. Il y a de gros nuages qui roulent de la pluie ; en l'air, des averses voyagent. Non, je ne me trouve pas du tout chez moi, dans ce gîte étrange ; j'y éprouve des impressions de dépaysement extrême et de solitude ; rien que la perspective d'y passer la nuit me serre le cœur...

— Ah ! pour le coup, frère, dit Yves, je crois, — je crois fort... que la voilà ! ! !

Je regarde par-dessus son épaule et j'aperçois — vue de dos — une petite poupée en toilette, que l'on achève d'attifer dans la rue solitaire : un dernier coup d'œil maternel aux coques énormes de la ceinture, aux plis de la taille. Sa robe est en soie gris perle, son *obi* [12] en satin mauve ; un piquet de fleurs d'argent tremble dans ses cheveux noirs ; un dernier rayon mélancolique du couchant l'éclaire ; cinq ou six personnes l'accompagnent... Oui, évidemment c'est elle, mademoiselle Jasmin... ma fiancée qu'on m'amène ! !...

Je me précipite au rez-de-chaussée, qu'habitent la vieille madame Prune, ma propriétaire, et son vieux mari ; — ils sont en prières devant l'autel de leurs ancêtres.

— Les voilà, madame Prune, dis-je en japonais, les voilà ! Vite le thé, le réchaud, les braises, les petites pipes pour les dames, les petits pots en bambou pour cracher leur salive ! montez avec empressement tous les accessoires de ma réception !

J'entends le portail qui s'ouvre, je remonte. Des socques de bois se déposent à terre ; l'escalier crie sous des pieds déchaussés... Nous nous regardons, Yves et moi, avec une envie de rire...

Entre une vieille dame, — deux vieilles dames, — trois vieilles dames, émergeant l'une après l'autre avec des révérences à ressorts que nous rendons tant bien que mal, ayant conscience de notre infériorité dans le genre. Puis des personnes d'un âge intermédiaire, — puis des jeunes tout à fait, une douzaine au moins, les amies, les voisines, tout le quartier. Et tout ce monde, en entrant chez moi, se confond en politesses réciproques : et je te salue — et tu me salues, — et je te ressalue, et tu me le rends — et je te ressalue encore, et je ne te le rendrai jamais selon ton mérite, — et moi je me cogne le front par terre, et toi tu piques du nez sur le plancher ; les voilà toutes à quatre pattes les unes devant les autres ; c'est à qui ne passera pas, à qui ne s'assoira pas, et des compliments infinis se marmottent à voix basse, la figure contre le parquet.

Elles s'asseyent pourtant, en un cercle cérémonieux et souriant à la fois, nous deux restant debout les yeux fixés sur l'escalier. Et enfin émerge à son tour le petit piquet de fleurs d'argent, le chignon d'ébène, la robe gris perle et la ceinture mauve... de mademoiselle Jasmin ma fiancée ! !...

Ah ! mon Dieu, mais je la connaissais déjà ! Bien avant de venir au Japon, je l'avais vue, sur tous les éventails, au fond de toutes les tasses à thé — avec son air bébête, son minois bouffi, — ses petits yeux percés à la vrille au-dessus de ces deux solitudes, blanches et roses jusqu'à la plus extrême invraisemblance, qui sont ses joues.

Elle est jeune, c'est tout ce que je lui accorde ; elle l'est tellement même que je me ferais presque un scrupule de la prendre. L'envie de rire me quitte tout à fait et je me sens au cœur un froid plus profond. Partager une heure de ma vie avec cette petite créature, jamais !...

Elle s'avance souriante, d'un air contenu de triomphe, et M. Kangourou paraît derrière elle, dans son complet de drap gris. Nouveaux saluts. La voilà à quatre pattes, elle aussi, devant ma propriétaire, devant mes voisines. Yves, le grand Yves, qui n'épouse pas, lui, fait derrière moi une figure pincée, comique, étouffant mal son rire, — tandis que pour me donner le temps de rassembler mes idées j'offre le thé, les petites tasses, les petits pots, les braises...

Cependant mon air déçu n'a pas échappé aux visiteuses. M. Kangourou m'interroge anxieux :

— Comment me plaît-elle ?

Et je réponds à voix basse mais résolument :

— Non !... celle-là, je n'en veux pas... Jamais !

Je crois qu'on a presque compris autour de moi, à la ronde. La consternation se peint sur les figures, les chignons s'allongent, les pipes s'éteignent. Et me voilà faisant des reproches à ce Kangourou : « Pourquoi aussi me l'avoir amenée en grande pompe, devant les amies, les voisins, les voisines, au lieu de me l'avoir montrée par hasard, discrètement, comme j'avais souhaité ? Quel affront cela va être à présent, pour ces personnes si polies ! »

Les vieilles dames (la maman sans doute et des

tantes) prêtent l'oreille, et M. Kangourou leur traduit, en atténuant, les choses navrantes que je dis. Elles me font presque de la peine : c'est que, pour des femmes qui en somme viennent vendre une enfant, elles ont un air que je n'attendais pas ; je n'ose pas dire un air d'*honnêteté* (c'est un mot de chez nous qui, au Japon n'a pas de sens), mais un air d'inconscience, de grande bonhomie ; elles accomplissent un acte qui sans doute est admis dans leur monde, et vraiment tout cela ressemble, encore plus que je ne l'aurais cru, à un vrai mariage.

— Mais qu'est-ce que je lui reproche, à cette petite ? demande M. Kangourou, consterné lui-même.

J'essaie de présenter la chose d'une manière flatteuse :

— Elle est bien jeune, dis-je, — et puis trop blanche ; elle est comme nos femmes françaises, et moi j'en désirais une jaune pour changer. — Mais c'est la peinture qu'on lui a mise, monsieur ! En dessous, je vous assure qu'elle est jaune...

Yves se penche à mon oreille :

— Là-bas, dans ce coin, frère, dit-il, contre le dernier panneau, avez-vous remarqué celle qui est assise ?

Ma foi non, je ne l'avais pas remarquée, dans mon trouble ; tournée à contre-jour, vêtue de sombre, dans la pose négligée de quelqu'un qui s'efface. Le fait est qu'elle paraît beaucoup mieux, celle-ci. Des yeux à longs cils, un peu bridés, mais qui seraient trouvés bien dans tous les pays du monde : presque une expression, presque une pensée. Une teinte de cuivre sur des joues rondes ; le nez droit ; la bouche légèrement charnue, mais bien modelée, avec des coins très jolis. Moins jeune que mademoiselle Jasmin ; dix-huit ans peut-être, déjà plus femme. Elle fait une moue d'ennui, de dédain aussi un peu, comme regrettant d'être venue à un spectacle qui languit, qui n'est guère amusant.

— Monsieur Kangourou, quelle est cette petite personne, en bleu foncé, là-bas ?

— Là-bas, monsieur ? — C'est une personne appelée mademoiselle Chrysanthème. Elle a suivi les autres qui sont là ; elle est venue pour voir... Elle vous plaît ? dit-il brusquement, flairant une autre solution pour son affaire manquée.

Alors, oubliant toute sa politesse, tout son cérémonial, toute sa japonerie, il la prend par la main, la force de se lever, de venir en face du jour mourant, de se faire voir. Et elle, qui a suivi nos yeux, qui commence à deviner de quoi il retourne, baisse la tête, confuse, avec une moue plus accentuée mais plus gentille aussi ; essaie de reculer, moitié maussade, moitié souriante.

— Ça ne fait rien, continue M. Kangourou : cela pourra aussi bien s'arranger pour celle-ci : elle n'est pas mariée, monsieur ! !...

Elle n'est pas mariée ! — Alors pourquoi donc ne me l'avait-il pas proposée tout de suite, cet imbécile, au lieu de l'autre... qui me fait une pitié extrême à la fin, pauvre petite, avec sa robe gris tendre, son piquet de fleurs et sa mine qui s'attriste, ses yeux qui grimacent comme pour un gros chagrin.

— Cela pourra s'arranger, monsieur ! répète encore Kangourou, qui a un air tout à fait entremetteur de bas étage, tout à fait mauvais drôle à présent.

Seulement nous serons de trop, dit-il, Yves et moi, pendant les négociations. Et, tandis que mademoiselle Chrysanthème garde les yeux baissés qui conviennent, tandis que les familles, sur les figures desquelles se sont peints tous les degrés de l'étonnement, toutes les phases de l'attente, restent assises en cercle sur mes nattes blanches, il nous renvoie, nous deux, sous la véranda — et nous regardons, dans les profondeurs au-dessous de nous, un Nagasaki vaporeux, un Nagasaki bleuâtre où l'obscurité vient...

De grands discours en japonais, des répliques sans fin. M. Kangourou, qui n'est blanchisseur et mauvais genre qu'en français, a retrouvé pour parlementer les longues formules de son pays. De temps en temps, je m'impatiente ; je demande à ce bonhomme, que je prends de moins en moins au sérieux :

— Voyons, dites-nous vite, Kangourou ; est-ce que cela se démêle, est-ce que cela va finir ?

— Tout à l'heure, Missieu, tout à l'heure.

Et il reprend son air d'économiste traitant des questions sociales.

Allons, il faut subir les lenteurs de ce peuple. Et, pendant que l'obscurité tombe comme un voile sur la ville japonaise, j'ai le loisir de songer, assez mélancoliquement, à ce marché qui se conclut derrière moi.

La nuit est venue, la nuit close ; il a fallu allumer les lampes.

Il est dix heures quand tout est réglé, fini, quand M. Kangourou vient me dire :

— C'est entendu, Missieu ! ses parents vous la donnent pour vingt piastres par mois, — au même prix que mademoiselle Jasmin...

Alors l'ennui me prend pour tout de bon de m'être décidé si vite, de m'être lié, même passagèrement, à cette petite créature, et d'habiter avec elle cette case isolée...

Nous rentrons ; elle est au milieu du cercle, assise ; on lui a mis un piquet de fleurs dans les cheveux. Vraiment son regard a une expression, elle a presque un air de penser, celle-ci...

Yves s'étonne de son maintien modeste, de ses petites mines timides de jeune fille que l'on marie ; il n'imaginait rien de pareil pour un tel mariage ; moi non plus, je l'avoue.

— Oh ! mais, c'est qu'elle est très gentille, dit-il, très gentille, frère, vous pouvez me croire !

Ces gens, ces mœurs, cette scène, le confondent ; il n'en revient pas, de tout cela : « Oh ! par exemple !... » — et l'idée d'en écrire une longue lettre à sa femme, à Toulven, le divertit beaucoup.

Nous nous donnons la main, Chrysanthème et moi. Yves aussi s'avance pour toucher sa petite patte fine ;

— du reste, si je l'épouse, il en est bien cause ; — je ne l'aurais pas remarquée sans lui qui m'a affirmé qu'elle était jolie. Qui sait comment cela va tourner, ce ménage ? Est-ce une femme ou une poupée ?... Dans quelques jours, je le découvrirai peut-être...

Les familles, ayant allumé au bout de bâtons légers leurs lanternes multicolores, se disposent à se retirer, avec force compliments, politesses, courbettes, révérences. Quand il s'agit de prendre l'escalier, elles font à qui ne passera pas, et, à un moment donné, tout le monde se retrouve à quatre pattes, immobilisé, murmurant à demi-voix des choses polies...

— Faut *pousser dessus ?* dit Yves en riant (une locution et un procédé qui s'emploient en marine lorsqu'il y a engorgement quelque part).

Enfin cela s'écoule, cela descend, avec un dernier bourdonnement de civilités, de phrases aimables qui s'achèvent d'une marche à l'autre, à voix décroissante. Et nous restons seuls, lui et moi, dans l'étrange logis vide, où traînent encore sur les nattes les petites tasses à thé, les impayables petites pipes, les plateaux en miniature.

— Regardons-les s'en aller ! dit Yves en se penchant dehors.

A la porte du jardin, mêmes saluts, mêmes révérences, puis les deux bandes de femmes se séparent ; leurs lanternes de papier peinturluré, qui s'éloignent, tremblotent et se balancent à l'extrémité des bâtons flexibles — qu'elles tiennent du bout des doigts, comme on tiendrait une canne à pêche pour prendre à l'hameçon dans l'obscurité des oiseaux nocturnes. Le cortège infortuné de mademoiselle Jasmin remonte vers la montagne, tandis que celui de mademoiselle Chrysanthème descend par une vieille petite rue, moitié escalier, moitié sentier de chèvre, qui mène à la ville.

Puis nous sortons, nous aussi. La nuit est fraîche, silencieuse, exquise ; l'éternelle musique des cigales remplit l'air. On voit encore les lanternes rouges de ma nouvelle famille qui s'en vont là-bas dans le lointain, qui descendent toujours, qui se perdent dans ce gouffre béant au fond duquel est Nagasaki.

Nous descendons nous-mêmes, mais sur un versant opposé, par des sentiers rapides qui conduisent à la mer.

Et, quand je suis rentré à bord, quand cette scène de là-haut me réapparaît en esprit, il me semble m'être fiancé pour rire, chez des marionnettes...

V

10 juillet 1885.

C'est un fait accompli depuis trois jours.

En bas, au milieu d'un de ces quartiers nouveaux, d'aspect cosmopolite, dans une laide bâtisse prétentieuse qui est une espèce de bureau d'état civil, la chose a été signée et contresignée, en lettres étonnantes, sur un registre, en présence d'une réunion de petits êtres ridicules qui étaient jadis des *Samouraï* en robe de soie, — et qui sont des *policemen* aujourd'hui, portant veston étriqué et casquette à la russe.

Cela s'est passé à la grande chaleur du milieu du jour. Chrysanthème et sa mère étaient arrivées de leur côté ; moi du mien. Nous avions l'air d'être venus là pour sceller quelque pacte honteux, et les deux femmes tremblaient devant ces vilains petits personnages qui, à leurs yeux, représentaient la loi.

Au milieu du grimoire officiel, on m'a fait écrire en français mes nom, prénoms et qualités. Et puis on m'a remis un papier de riz très extraordinaire, qui était la permission à moi accordée par les autorités civiles de l'île de Kiu-Siu, d'habiter dans une maison située au faubourg de Diou-djen-dji, avec une personne appelée Chrysanthème ; permission valable, sous la protection de la police, pendant toute la durée de mon séjour au Japon.

Le soir, par exemple, dans notre quartier là-haut,

c'est redevenu très gentil, notre petit mariage : un cortège aux lanternes, un thé de gala, un peu de musique... Il était nécessaire, en vérité.

Et maintenant, nous sommes presque de vieux mariés ; entre nous, les habitudes se créent tout doucement.

Chrysanthème entretient les fleurs dans nos vases de bronze, s'habille avec une certaine recherche, porte des chaussettes à orteil séparé, et joue tout le jour d'une sorte de guitare à long manche qui rend des sons tristes...

VI

Chez nous, cela ressemble à une image japonaise : rien que des petits paravents ; des petits tabourets bizarres supportant des vases avec des bouquets, — et, au fond de l'appartement, dans un retiro qui fait autel, un grand Bouddha doré trônant dans un lotus.

La maison est bien telle que je l'avais entrevue dans mes projets de Japon, avant l'arrivée, durant les nuits de quart : haut perchée, dans un faubourg paisible, au milieu des jardins verts ; — elle est toute en panneaux de papier, et se démonte, quand on veut, comme un jouet d'enfant. — Des familles de cigales chantent nuit et jour sur notre vieux toit sonore. On a, de notre véranda, une vue à vol d'oiseau très vertigineuse, sur Nagasaki, ses rues, ses jonques et ses grands temples ; à certaines heures tout cela s'éclaire à nos pieds comme un décor de féerie.

VII

Cette petite Chrysanthème... comme silhouette, tout le monde a vu cela partout. Quiconque a regardé une de ces peintures sur porcelaine ou sur soie, qui encombrent nos bazars à présent, sait par cœur cette jolie coiffure apprêtée, cette taille toujours penchée en avant pour esquisser quelque nouvelle révérence gracieuse, cette ceinture nouée derrière en un pouf énorme, ces manches larges et retombantes, cette robe collant un peu au bas des jambes avec petite traîne en biais formant queue de lézard.

Mais sa figure, non, tout le monde ne l'a pas vue ; c'est quelque chose d'assez à part.

D'ailleurs, ce type de femme que les Japonais peignent de préférence sur leurs potiches est presque exceptionnel dans leur pays. On ne trouve guère que dans la classe noble ces personnes à grand visage pâle peint en rose tendre, ayant un long cou bête et un air de cigogne. Ce type distingué (qu'avait mademoiselle Jasmin, je le reconnais) est rare, surtout à Nagasaki.

Dans la bourgeoisie et dans le peuple, on est d'une laideur plus gaie, qui va jusqu'à la gentillesse souvent. Toujours les mêmes yeux trop petits, pouvant à peine s'ouvrir, mais des figures plus rondes, plus brunes, plus vives ; chez les femmes, un certain vague dans les traits, quelque chose de l'enfance qui persiste jusqu'à la fin de la vie.

Et si rieuses, si joyeuses, toutes ces petites poupées

nipponnes ! — D'une joie un peu voulue, il est vrai, un peu étudiée et sonnant faux quelquefois ; mais tout de même on s'y laisse prendre.

Chrysanthème est à part, parce qu'elle est triste. Qu'est-ce qui peut bien se passer dans cette petite tête ? Ce que je sais de son langage m'est encore insuffisant pour le découvrir. D'ailleurs, il y a cent à parier qu'il ne s'y passe rien du tout. — Et quand même, cela me serait si égal !...

Je l'ai prise pour me distraire, et j'aimerais mieux lui voir une de ces insignifiantes petites figures sans souci comme en ont les autres.

VIII

Quand vient la nuit, nous allumons deux lampes suspendues, d'une forme religieuse, qui brûlent jusqu'au matin devant notre idole dorée.

Nous dormons par terre, sur un mince matelas de coton que l'on déploie et que l'on étend chaque soir par-dessus nos nattes blanches. L'oreiller de Chrysanthème est un petit chevalet d'acajou emboîtant bien la nuque, de façon à ne pas déranger la volumineuse coiffure qui ne doit jamais être défaite, les jolis cheveux noirs que je ne verrai sans doute jamais dénoués. Le mien, de mode chinoise, est une sorte de petit tambour carré que recouvre une peau de serpent.

Nous dormons sous un vélum de gaze d'un bleu vert très sombre, d'une couleur de nuit, tendu sur des rubans d'un jaune orange. (Ce sont des nuances consacrées, et tous les ménages comme il faut, à Nagasaki, ont un vélum pareil.) Il nous enveloppe comme une tente; les moustiques et les phalènes viennent danser autour.

. . . .

Tout cela est presque joli à dire; écrit, tout cela fait presque bien. — En réalité, pourtant, non; il y manque je ne sais quoi, et c'est assez pitoyable.

Dans d'autres pays de la terre, en Océanie dans l'île délicieuse[13], à Stamboul dans les vieux quartiers morts, il me semblait que les mots ne disaient jamais autant que j'aurais voulu dire, je me débattais contre mon impuissance à rendre dans une langue humaine le charme pénétrant des choses.

Ici, au contraire, les mots, justes cependant, sont trop grands, trop vibrants toujours ; les mots embellissent. Je me fais l'effet de jouer pour moi-même quelque comédie bien piètre, bien banale, et, quand j'essaie de prendre au sérieux mon ménage, je vois se dresser en dérision devant moi la figure de M. Kangourou, agent matrimonial, à qui je dois mon bonheur.

IX

12 juillet.

Yves se rend chez nous chaque fois qu'il est libre, — à cinq heures le soir, après le travail du bord.

Il est notre seul visiteur européen ; à part quelques échanges de politesses et de tasses de thé avec des voisins ou des voisines, nous vivons très retirés. A la nuit seulement, par les petites rues à pic, nous descendons à Nagasaki, portant des lanternes au bout de bâtonnets, pour aller nous distraire dans les théâtres, les « maisons de thé » ou les bazars.

Yves s'amuse de ma femme comme d'un joujou et continue de m'assurer qu'elle est charmante.

Moi, je la trouve exaspérante autant que les cigales de mon toit. Et quand je suis seul dans ce logis, à côté de cette petite personne pinçant les cordes de sa guitare à long manche, en face de ce merveilleux panorama de pagodes et de montagnes, — je me sens triste à pleurer...

X

13 juillet.

Cette nuit, pendant que nous étions couchés sous ce toit japonais de Diou-djen-dji, — sous ce vieux toit de bois mince, desséché par cent années de soleil, qui vibre au moindre bruit comme la peau tendue d'un tamtam — au-dessus de nos têtes une vraie Chasse-Galery[14], dans le silence de deux heures du matin, passa en galopant :

— *Nidzoumi !* (les souris !), dit Chrysanthème.

Et, brusquement, ce mot m'en rappela un autre, d'une langue bien différente et parlée bien loin d'ici : « Setchan !... » mot entendu jadis ailleurs, mot dit comme cela tout près de moi par une voix de jeune femme, dans des circonstances pareilles, à un instant de frayeur nocturne. — « Setchan !... » Une de nos premières nuits passées à Stamboul, sous le toit mystérieux d'Eyoub, quand tout était danger autour de nous, un bruit sur les marches de l'escalier noir nous avait fait trembler, et elle aussi, la chère petite Turque, m'avait dit dans sa langue aimée : « Setchan ! » (les souris[15] !)...

Oh ! alors, un grand frisson, à ce souvenir, me secoua tout entier : ce fut comme si je me réveillais en sursaut d'un sommeil de dix années ; — je regardai avec une espèce de haine cette poupée étendue près de moi, me demandant ce que je faisais là sur cette couche, et je me levai pris d'écœurement et de remords, pour sortir de ce tendelet de gaze bleue...

J'allai jusque sous la véranda... et je m'arrêtai, regardant les profondeurs de la nuit étoilée. Nagasaki dormait au-dessous de moi, d'un sommeil qui semblait tiède et léger, avec mille bruissements d'insectes au clair de lune, dans des enchantements de lumière rose. Puis, tournant la tête, je vis derrière moi l'idole dorée devant laquelle veillaient nos lampes ; l'idole souriait de l'impassible sourire bouddhique, et sa présence semblait jeter dans l'air de cette chambre je ne sais quoi d'inconnu et d'incompréhensible ; à aucune époque de ma vie passée, je n'avais encore dormi sous le regard de ce dieu-là...

Au milieu de ce calme et de ce silence du milieu de la nuit, je cherchai à ressaisir encore mes impressions poignantes de Stamboul. — Hélas ! non, elles ne revenaient plus, dans ce milieu trop lointain et trop étrange... A travers la gaze bleue transparaissait la Japonaise, étendue avec une grâce bizarre dans sa robe de nuit d'une couleur sombre, la nuque reposant sur son chevalet de bois et les cheveux arrangés en grandes coques lustrées. Ses bras ambrés, délicats et jolis, sortaient jusqu'à l'épaule de ses manches larges.

« Qu'est-ce donc que ces souris des toits avaient pu me faire », se disait Chrysanthème. Naturellement elle ne comprenait pas. Avec une câlinerie de petit chat, elle coula vers moi ses yeux bridés, me demandant pourquoi je ne venais pas dormir, — et je retournai me coucher auprès d'elle.

XI

14 juillet.

Jour de la fête nationale de France. Sur rade de Nagasaki, grand pavois en notre honneur et salves d'artillerie.

Hélas ! je songe beaucoup, toute la journée, à ce 14 juillet de l'an dernier, passé dans un si grand calme, au fond de ma vieille maison familiale, la porte fermée aux importuns, tandis que la foule en gaîté hurlait dehors ; j'étais resté jusqu'au soir assis à l'ombre d'une treille et d'un chèvrefeuille, sur un banc où jadis, pendant les étés de mon enfance, je m'installais avec mes cahiers, en prenant un air de faire mes devoirs. — Oh ! ce temps où je *faisais mes devoirs*... avais-je assez la tête ailleurs, — aux voyages, aux pays lointains, aux forêts tropicales devinées en rêve... A cette époque, aux environs de ce banc de jardin, dans certains creux des pierres du mur, de vilaines bêtes d'araignées noires habitaient, toujours au guet, le nez à leur fenêtre, prêtes à sauter sur les moucherons étourdis ou le mille-pattes en promenade. Et un de mes amusements était de prendre un brin d'herbe, ou la queue d'une cerise, pour chatouiller tout doucement, tout doucement, ces araignées dans leur trou ; elles sortaient alors brusquement, très mystifiées, croyant avoir affaire à quelque proie, — tandis que je retirais ma main avec horreur... Eh bien, le 14 juillet de l'année dernière, m'étant rappelé ce temps à jamais envolé des thèmes et des versions, et ce jeu d'autrefois, j'avais parfaitement retrouvé les mêmes araignées (ou du moins les filles des anciennes) postées dans les mêmes trous. Et, en les regardant, en regardant des brins d'herbe, des lichens, il m'était revenu mille souvenirs des premiers étés de ma vie, souvenirs qui avaient dormi pendant des années contre ce vieux mur[16], à l'abri des branches de lierre... Quand tout ce qui est nous change et passe, c'est un surprenant mystère que cette constance de la nature à reproduire toujours de la même façon ses plus infimes détails : les mêmes variétés particulières de mousses reverdissent pendant des siècles précisément aux mêmes places, et les mêmes petits insectes font chaque été, aux mêmes endroits, les mêmes choses...

Je reconnais que cet épisode d'enfance et d'araignées arrive drôlement au milieu de l'histoire de Chrysanthème. Mais l'interruption saugrenue est absolument dans le goût de ce pays-ci ; elle se pratique en tout, dans la causerie, dans la musique, même dans la peinture ; un paysagiste, par exemple, ayant achevé un tableau de montagnes et de rochers, n'hésitera jamais à tracer au beau milieu du ciel un cercle, ou un losange, un encadrement quelconque, dans lequel il représentera n'importe quoi d'incohérent et d'inattendu : un bonze jouant de l'éventail, ou une dame prenant une tasse de thé. Rien n'est plus japonais que de faire ainsi des digressions sans le moindre à propos.

D'ailleurs, si je me suis remis en mémoire tout cela, c'était pour me mieux marquer à moi-même la différence entre ce 14 juillet de l'an dernier, si tranquille, au milieu de choses familières connues depuis mon entrée au monde, — et celui-ci, plus agité, au milieu de choses étranges.

Aujourd'hui donc, au soleil ardent de deux heures, trois djins rapides nous entraînent à toutes jambes, Yves, Chrysanthème et moi, à la file indienne, chacun dans un petit char sautillant, — nous entraînent jusqu'à l'autre bout de Nagasaki, et là nous déposent au pied d'un escalier de géants qui monte tout droit dans la montagne.

C'est l'escalier du grand temple d'Osueva ; il est en granit, il est large comme pour donner accès à tout un corps d'armée ; il est imposant et simple comme une chose de Babylone ou de Ninive, il contraste absolument avec les mièvreries d'alentour.

Nous grimpons, nous grimpons, — Chrysanthème nonchalante, faisant la fatiguée sous son ombrelle de papier où des papillons roses sont peints sur un fond noir. En nous élevant toujours, nous passons sous d'énormes portiques religieux, en granit également, d'une forme rude et primitive. En vérité ces escaliers et ces portiques des temples sont les seules choses un peu grandioses que ce peuple ait imaginées ; elles étonnent, on ne les dirait pas japonaises.

Nous grimpons encore. A cette heure chaude, du haut en bas de ces immenses marches grises, il n'y a que nous trois ; sur tout ce granit, il n'y a que les papillons roses de l'ombrelle de Chrysanthème qui jettent une couleur un peu gaie, un peu éclatante.

Nous traversons la première cour du temple, dans laquelle sont deux tourelles de porcelaine blanche, des lanternes de bronze et un grand cheval de jade. Puis, sans nous arrêter au sanctuaire, nous tournons à main gauche, pour entrer dans un jardin ombreux, qui forme terrasse à mi-montagne et au fond duquel se trouve la *Donko-Tchaya*, — en français : la *maison de thé des Crapauds*.

C'est là que nous conduisait Chrysanthème. Nous prenons place à une table, sous une tente de toile noire ornée de grandes lettres blanches (aspect funéraire), — et deux *mousmés* très rieuses s'empressent à nous servir.

Mousmé est un mot qui signifie jeune fille ou très jeune femme. C'est un des plus jolis de la langue nipponne ; il semble qu'il y ait, dans ce mot, de la *moue* (de la petite moue gentille et drôle comme elles en font) et surtout de la *frimousse* (de la frimousse chiffonnée comme est la leur). Je l'emploierai souvent, n'en connaissant aucun en français qui le vaille.

Un Watteau japonais a dû tracer le plan de cette *Donko-Tchaya*, qui est d'une paysannerie un peu cherchée, mais charmante. Elle est à l'ombre, sous la retombée d'une voûte de grands arbres très feuillus ; tout à côté, dans un lac en miniature, résident quelques crapauds auxquels elle a emprunté son nom attrayant. — Crapauds heureux qui se promènent et chantent sur les mousses les plus fines, au milieu des îlots artificiels les plus mignons ornés de gardénias en fleur. De temps à autre, l'un d'eux nous fait part d'une réflexion qui lui vient : « Couac », avec une voix de basse-taille beaucoup plus creuse que celle de nos crapauds français.

Sous la tente de cette maison de thé, on est comme à un balcon avancé de la montagne, surplombant de très haut la ville grisâtre et ses faubourgs enfouis dans la verdure. Autour, au-dessus et au-dessous de nous, partout accrochés, partout suspendus, des bouquets d'arbres, des bois d'une grande fraîcheur, ayant les feuillages délicats et un peu uniformes des régions tempérées. Puis nous apercevons, sous nos pieds, la rade profonde, en raccourci et en biais, rétrécie en une effroyable déchirure sombre au milieu de l'amas des grandes montagnes vertes ; et au fond, très bas, sur une eau qui semble noire et dormante, apparaissent, bien petits et comme écrasés, les navires de guerre, les paquebots et les jonques, pavoisés aujourd'hui à toutes leurs pointes. Sur le vert foncé, qui est la nuance dominante des choses, se détachent éclatants ces milliers de chiffons d'étamine qui sont des emblèmes de nations, — tous dehors, tous déployés en l'honneur de la France lointaine.

Le plus répandu dans cet ensemble multicolore est celui qui est blanc à boule rouge : il représente cet *Empire du Soleil Levant* où nous sommes.

A part trois ou quatre mousmés là-bas, qui s'exercent à tirer de l'arc, il n'y a guère que nous aujourd'hui dans ce jardin, et la montagne alentour est silencieuse.

Chrysanthème, ayant achevé sa cigarette et sa tasse de thé, désire se refaire la main, elle aussi, à cet exercice de l'arc, encore en honneur parmi les jeunes femmes. — Alors un vieux bonhomme, qui est le gardien du tir, lui choisit ses meilleures flèches, emplumées de blanc et de rouge, — et la voilà visant, très sérieuse. Le but est un cercle, tracé au milieu d'un tableau où sont peintes en grisaille des chimères effrayantes dans des nuages.

Elle est adroite, Chrysanthème, c'est certain, et nous l'admirons, comme elle l'avait souhaité.

Yves, habile d'ordinaire à tous les jeux d'adresse, veut essayer à son tour et réussit mal. C'est amusant alors de la voir, avec mille mignardises et sourires, arranger, du bout de ses petits doigts à elle, ces larges mains du matelot, les poser comme il convient sur l'arc et sur la corde, pour lui enseigner la bonne manière... Jamais ils ne m'avaient paru si bien ensemble, Yves et ma poupée ; ils le sont tellement même, que je m'inquiéterais, si j'étais moins sûr de mon brave frère, et si d'ailleurs cela ne m'était absolument égal.

Dans la tranquillité de ce jardin, dans le silence tiède de ces montagnes, un grand bruit venu d'en bas nous fait tressaillir tout à coup ; un son unique, puissant, terrible, qui se prolonge en vibrations de métal d'une longueur infinie... Et cela recommence, encore plus effroyable : *Boum !* apporté par une bouffée de la brise qui se lève.

— *Nippon Kané !* nous explique Chrysanthème.

Et elle reprend ses flèches, empennelées de vives couleurs. *Nippon Kané* (l'airain japonais), l'airain japonais qui résonne ! — C'est la cloche monstrueuse d'une bonzerie, située dans un faubourg au-dessous de nous. — Eh bien ! il est puissant, « l'airain japonais » ! Après qu'il a fini de tinter, quand on ne l'entend plus, il semble qu'il en reste un frémissement dans les verdures suspendues, un tremblement interminable dans l'air.

Je suis forcé de reconnaître que Chrysanthème est gentille, lançant ses flèches, la taille cambrée en arrière pour mieux bander son arc ; les manches pagodes relevées jusqu'aux épaules, laissant nus les bras gracieux qui ont le poli de l'ambre et qui en rappellent un peu la couleur. On entend filer chaque flèche avec un bruissement d'aile d'oiseau ; — ensuite, un petit coup sec, et le but est touché, toujours...

La nuit venue et Chrysanthème remontée à Dioudjen-dji, nous traversons, Yves et moi, la *concession* européenne, pour rentrer à bord et reprendre la garde jusqu'à demain. Dans ce quartier cosmopolite exhalant une odeur d'absinthe, tout est pavoisé et on tire des pétards en l'honneur de la France. Des files de djins passent, traînant, de toute la vitesse de leurs jambes nues, nos matelots de la *Triomphante* qui jouent de l'éventail et qui poussent des cris. On entend notre pauvre « Marseillaise » partout ; des marins anglais la chantent durement du gosier, sur un mouvement traînant et funèbre comme leur « God Save ». Dans tous les bars américains, les pianos mécaniques la jouent aussi pour attirer nos hommes, avec des variations et des ritournelles odieuses...

Ah ! un dernier souvenir drôle, qui me revient de cette soirée-là. En rentrant, nous nous étions fourvoyés tous deux dans une rue habitée par une multitude de dames pas comme il faut. Je vois encore le grand Yves, luttant contre une bande de toutes petites mousmés, hétaïres de douze ou quinze ans, qui, comme taille, lui venaient à la ceinture, et le tiraient par ses manches, voulant le mener à mal. En se dégageant de leurs mains, il disait : « Oh ! par exemple ! » au comble de l'étonnement et de l'indignation, les voyant si jeunes, si menues, si bébés, et déjà si effrontées.

XII

18 juillet.

Ils sont quatre à présent, quatre officiers de mon bord, mariés comme moi et habitant, un peu moins haut, dans le même faubourg. C'est même une aventure très commune. Cela s'est fait sans dangers, sans difficultés, sans mystères, par l'entremise du même Kangourou.

Et naturellement nous recevons toutes ces dames.

D'abord, il y a madame Campanule, notre voisine qui rit toujours, mariée au petit Charles N*** [17]. Puis madame Jonquille, qui rit encore plus que Campanule et ressemble à un jeune oiseau ; la plus mignonne de la bande, celle-ci, mariée à X***, un blond septentrional qui l'adore : c'est le couple amoureux et inséparable ; les seuls qui vont pleurer peut-être quand l'heure du départ viendra. Puis encore Sikou-San, avec le docteur Y***. Et enfin l'aspirant Z***, avec la petite, la minuscule madame Touki-San ; haute comme une demi-botte, celle-ci ; treize ans au plus, et déjà femme, importante, pétulante, commère. Dans mon enfance, on me menait quelquefois au théâtre des *Animaux savants* ; il y avait là une certaine madame de Pompadour, un grand premier rôle, qui était une guenon empanachée et que je vois encore. Cette Touki-San me la rappelle.

Le soir, tout ce monde vient généralement nous

chercher, pour une grande promenade aux lanternes qui se fait maintenant en cortège. Ma femme, à moi, plus sérieuse, plus triste, plus distinguée peut-être, appartenant, je crois, à une classe un peu meilleure, s'essaie à jouer à la maîtresse de maison quand ces amis arrivent. Et c'est comique de voir entrer tous ces couples mal assortis, unis pour un jour ; les dames avec leurs révérences articulées, tombant à quatre pattes, en trois temps, devant Chrysanthème, la reine de céans.

On se met en route quand la bande est au complet ; on s'en va, bras dessus bras dessous, à la queue leu leu, portant toujours, au bout de bâtonnets en bambou, des petites lanternes blanches ou rouges ; — et c'est gentil, paraît-il...

Il faut descendre par cette espèce de rue, ou plutôt de chemin en dégringolade de chèvre, qui mène dans le vieux Nagasaki japonais, — avec la perspective, hélas ! qu'il faudra remonter tout cela cette nuit ; remonter toutes les marches, toutes les pentes où l'on glisse, toutes les pierres où l'on trébuche, avant de rentrer chez soi, de se coucher et de dormir. — On descend dans l'obscurité, sous des branches, sous des feuillages, entre des jardins noirs, entre de vieilles maisonnettes jetant peu de lumière sur la route ; les lanternes ne sont pas de trop, quand la lune est absente ou voilée.

Enfin on arrive en bas, et là brusquement, sans transition, on débouche en plein Nagasaki, dans une rue longue et illuminée, encombrée de monde, où passent à toutes jambes des djins qui crient, où brillent et tremblent au vent des milliers de lanternes en papier. C'est le bruit et le mouvement, tout à coup, après la paix de notre faubourg silencieux.

Ici, pour le décorum, il faut se séparer de nos femmes. Elles se prennent par la main toutes les cinq, comme des petites filles à la promenade. Et nous suivons par-derrière, avec des airs détachés. Ainsi vues de dos, elles sont très mignonnes, les poupées, avec leurs chignons si bien faits, leurs épingles d'écaille si coquettement mises. Elles traînent, en faisant un vilain bruit de sabots, leurs hautes chaussures de bois, et s'efforcent de marcher les bouts de pied tournés en dedans, ce qui est une chose de mode et d'élégance. A toute minute on entend leurs éclats de rire.

Oui, vues de dos, elles sont mignonnes ; elles ont, comme toutes les Japonaises, des petites nuques délicieuses. Et surtout elles sont drôles, ainsi rangées en bataillon. En parlant d'elles, nous disons : « Nos petits chiens savants », et le fait est qu'il y a beaucoup de cela dans leur manière.

Il est pareil d'un bout à l'autre, ce grand Nagasaki où brûlent tant de quinquets à pétrole, où papillotent tant de lanternes de couleur, où passent tant de djins dératés. Toujours les mêmes rues étroites, bordées des mêmes maisonnettes basses, en papier et en bois. Toujours les mêmes boutiques, sans le moindre vitrage, ouvertes au vent ; aussi simples, aussi élémentaires quelle que soit la chose qui s'y fabrique ou s'y brocante, qu'il s'agisse d'étaler de fines laques d'or, des potiches merveilleuses, ou bien des vieilles marmites, des poissons secs, des guenilles. Et tous les vendeurs, assis par terre, au milieu de leurs bibelots précieux ou grossiers, jambes nues jusqu'à la ceinture, montrant à peu près ce que l'on cache chez nous, mais se couvrant le torse, pudiquement. Et toute sorte de petits métiers impayables exercés à la vue du public, à l'aide de procédés primitifs, par des artisans à l'air bonhomme.

Oh ! les étalages étranges dans ces rues et les fantaisies surprenantes dans ces bazars !

Jamais de chevaux, par la ville, jamais de voitures ; rien que des gens à pied, ou des gens traînés dans les petits chars comiques des hommes-coureurs. Quelques Européens par-ci par-là, échappés des bateaux de la rade ; — quelques Japonais (encore peu nombreux heureusement) s'essayant à porter jaquette ; d'autres, se contentant d'ajouter à la robe nationale un chapeau melon d'où s'échappent les longues mèches de leurs cheveux plats. Partout de l'empressement, des affaires, des marchandanges, des bibelots, — des rires...

Dans les bazars, nos mousmés font chaque soir beaucoup d'achats ; comme aux enfants gâtés, tout leur fait envie, les jouets, les épingles, les ceintures, les fleurs. — Et puis, l'une à l'autre, elles se présentent des cadeaux, gentiment, avec des sourires de petites filles. Campanule, par exemple, choisit pour Chrysanthème une lanterne ingénieusement imaginée, dans laquelle des ombres chinoises, mises en mouvement par un mécanisme invisible, dansent une ronde perpétuelle autour de la flamme. Chrysanthème, en échange, donne à Campanule un éventail magique dont les peintures représentent à volonté des papillons voltigeant sur des fleurs de cerisier, ou des monstres d'outre-tombe se poursuivant parmi des nuages noirs. Touki offre à Sikou un masque en carton représentant la figure bouffie de Daï-Cok, dieu de la richesse ; Sikou riposte par une longue trompette de cristal, au moyen de laquelle on arrive à produire une sorte de gloussement de dindon, tout à fait extraordinaire. Toujours du bizarre à outrance, du saugrenu macabre ; partout des choses à surprise qui semblent être les conceptions incompréhensibles de cervelles tournées à l'envers des nôtres...

Dans les maisons de thé en renom, où nous finissons nos soirées, les petites servantes à présent nous saluent à l'arrivée avec un air de connaissance respectueuse, comme une des bandes menant à Nagasaki la grande vie. Là, ce sont des causeries à bâtons rompus dont le sens souvent échappe, des quiproquos sans fin à mots étranges — dans des jardinets éclairés aux lanternes, auprès de bassins à poissons rouges où il y a des petits ponts, des petits îlots et des petites tours en ruine. On nous sert du thé, des bonbons blancs ou roses au poivre, dont le goût ne rappelle rien de connu, des boissons étranges à la neige et à la glace, ayant goût de parfums ou de fleurs.

Pour raconter fidèlement ces soirées-là, il faudrait un langage plus maniéré que le nôtre ; il faudrait aussi un signe graphique inventé exprès, que l'on mettrait au hasard parmi les mots, et qui indiquerait au lecteur le moment de pousser un éclat de rire, — un peu forcé, mais cependant frais et gracieux...

Et, la soirée finie, il s'agit de s'en retourner là-haut...

Oh ! cette rue, ce chemin, qu'il faut remonter chaque nuit, sous le ciel étoilé ou lourd d'orage, en traînant par la main sa mousmé qui s'endort, pour aller regagner, à mi-montagne, sa maison juchée et son lit de nattes...

XIII

Le plus fin de nous tous a été Louis de S... [18]. Jadis ayant pratiqué le Japon et s'y étant marié, il se contente aujourd'hui d'être l'ami de nos femmes ; il en est le *Komodachi taksan takaï,* l'*ami très haut* (comme elles disent à cause de sa taille, qui est excessive et manque un peu d'ampleur). Parlant japonais mieux que nous, il est leur confident intime ; il trouble ou raccommode à volonté nos ménages et se divertit beaucoup à nos dépens.

Cet *ami très haut* de nos femmes a tout l'amusement que peuvent donner ces petites créatures, sans aucun des soucis de la vie domestique. Avec mon frère Yves et la petite Oyouki (fille de madame Prune, ma propriétaire), il complète cet assemblage disparate que nous sommes.

XIV

M. Sucre et madame Prune*, mon propriétaire et sa femme, deux impayables, échappés de paravent, habitent au-dessous de nous, au rez-de-chaussée. Bien vieux l'un et l'autre pour avoir cette fille de quinze ans, Oyouki, l'amie inséparable de Chrysanthème.

Confits tous deux en dévotion shintoïste ; toujours à genoux devant leur autel familial ; toujours occupés à dire aux Esprits leurs longues oraisons, en claquant des mains de temps en temps pour rappeler autour d'eux ces essences inattentives qui flottent dans les airs. — A leurs moments perdus, cultivent, dans des petits pots de faïence peinturlurée, des arbustes nains, des fleurs invraisemblables qui le soir sentent très bon.

M. Sucre, silencieux, peu visiteur, desséché comme une momie dans sa robe de coton bleu. Écrivant beaucoup (ses mémoires, je pense) avec un pinceau tenu du bout des doigts, sur de longues bandes de papier de riz légèrement teintées de grisâtre.

Madame Prune, empressée, obséquieuse, rapace, les sourcils rigoureusement rasés, les dents soigneusement laquées de noir, ainsi qu'il convient à une dame comme il faut. A toute heure, apparaissant à quatre pattes à l'entrée de notre logis, pour nous offrir quelque service.

* En japonais : *Sato-San* et *Oumé-San*.

Oyouki, faisant chez nous, dix fois par jour, des entrées intempestives (quand on dort, quand on s'habille), arrivant comme une bouffée de jeunesse mignarde et de gaîté drôle, comme un vivant éclat de rire. Toute ronde de taille, toute ronde de figure. Moitié bébé, moitié jeune fille. Et de si bonne amitié, à propos d'un rien vous embrassant à pleine bouche, avec ses grosses lèvres ballantes qui mouillent un peu, mais qui sont bien fraîches, bien rouges...

XV

Dans notre logis toute la nuit ouvert, les lampes qui brûlent devant le Bouddha doré nous procurent la compagnie de toutes les bêtes des jardins d'alentour. Les phalènes, les moustiques, les cigales et d'autres insectes extraordinaires dont je ne sais pas les noms, — tout ce monde est chez nous.

Et c'est drôle, quand se présente quelque sauterelle imprévue, quelque scarabée sans gêne et sans excuse, courant sur nos nattes blanches, de voir de quelle manière Chrysanthème les signale à mon indignation, — en me les montrant du doigt, sans dire autre chose que : « Hou ! » la tête baissée, avec une moue particulière et un regard scandalisé. Il y a un éventail exprès, qui sert à les pousser dehors.

XVI

Ici, je suis forcé de reconnaître que, pour qui lit mon histoire, elle doit traîner beaucoup...

A défaut d'intrigue et de choses tragiques, je voudrais au moins savoir y mettre un peu de la bonne odeur des jardins qui m'entourent, un peu de la chaleur douce de ce soleil, un peu de l'ombre de ces jolis arbres. A défaut d'amour, y mettre quelque chose de la tranquillité reposante de ce faubourg lointain. Y mettre aussi le son de la guitare de Chrysanthème, auquel je commence à trouver quelque charme, faute de mieux, dans le silence de ces belles soirées d'été...

Tout ce temps de pleine lune de juillet qui vient de passer a été lumineux, calme, splendide. Oh ! les belles nuits claires, les belles lueurs roses sous cette lune merveilleuse, les belles ombres bleues, dans les fouillis épais de ces arbres... Et, du haut de notre véranda, comme cette ville était jolie à regarder dormir !...

... Mon Dieu, cette petite Chrysanthème, je ne la déteste pas, en somme. — D'ailleurs, quand il n'y a, de part ou d'autre, ni dégoût physique ni haine, l'habitude finit par créer une espèce de lien malgré tout...

XVII

Toujours ce bruit de cigales, strident, immense, éternel, qui sort nuit et jour de ces campagnes japonaises. Il est partout et sans cesse, à n'importe quelle heure brûlante de la journée, à n'importe quelle heure fraîche de la nuit. Au milieu de la rade, dès notre arrivée, nous l'avions entendu qui nous venait à la fois des deux rives, des deux murailles de vertes montagnes. Il est obsédant, infatigable ; il est comme la manifestation, le bruit même de la vie spéciale à cette région de la terre. Il est la voix de l'été dans ces îles ; il est un chant de fête inconscient, toujours égal à lui-même, et ayant constamment l'air de s'enfler, de s'élever, dans une plus grande exaltation du bonheur de vivre.

Il est, pour moi, le bruit caractéristique de ce pays, — avec le cri de cette espèce de gerfaut qui, lui aussi, avait salué notre entrée au Japon. Au-dessus des vallées et des baies profondes, ces oiseaux planent, en poussant de temps à autre leurs trois : « Han ! han ! han ! » d'un timbre triste, comme au comble de l'étonnement pénible, de la douleur. — Et les montagnes répètent leur cri.

XVIII

Ils sont devenus si amis que cela m'amuse, Yves, Chrysanthème et la petite Oyouki ; je crois même que, dans mon ménage, leur intimité est ce qui m'amuse le plus. C'est qu'ils font un contraste d'où résultent des situations imprévues et des choses impayables. Lui, apportant sa désinvolture de matelot et son accent de Bretagne dans cette frêle maisonnette de papier, à côté de ces mousmés aux manières précieuses ; grand garçon large, à voix brève et grave, entre deux toutes petites à voix d'oiseau qui le mènent à leur gré, le font manger avec des baguettes ; lui apprennent le « pigeon vole » japonais, — et le trichent, — et se disputent, — et se pâment de rire.

Il est certain qu'ils se plaisent beaucoup, Chrysanthème et lui. Mais j'ai confiance toujours, et je ne me figure pas que cette petite épousée de hasard puisse jamais amener un trouble un peu sérieux entre ce « frère » et moi.

XIX

Ma famille japonaise, très nombreuse et se produisant beaucoup ; — un grand élément de distraction pour les officiers du bord qui me visitent là-haut, surtout pour le *komadachi taksan takaï (l'ami d'une extrême hauteur)*.

Une belle-mère charmante, tout à fait femme du monde ; des petites belles-sœurs, des petites cousines, et des tantes jeunes encore.

J'ai même, au second degré, un cousin pauvre qui est djin. — On hésitait à m'en faire l'aveu, de ce dernier ; mais voici que, pendant la présentation, nous avons échangé un sourire de connaissance : c'était 415 !

Sur ce pauvre 415, mes amis, à bord, font des gorges chaudes, — un surtout qui moins que personne aurait le droit de parler, le petit Charles N***, dont la belle-mère a été quelque chose comme concierge, ou peu s'en faut, à la porte d'une pagode.

Moi, qui fais grand cas de l'agilité et de la force, j'apprécie au contraire ce parent-là.

Ses jambes, du reste, sont les meilleures de Nagasaki, et, chaque fois que j'ai quelque course pressée à faire, je prie madame Prune d'envoyer en bas, à la station des djins, retenir mon cousin.

XX

J'arrivais à Diou-djen-dji à l'improviste, aujourd'hui, par un midi brûlant. Au pied de notre escalier traînaient les socques de bois de Chrysanthème et ses sandales de cuir verni.

Chez nous, en haut, tout était ouvert, avec des stores en bambou abaissés du côté du soleil ; à travers leur tissu clair entraient l'air chaud et la lumière d'or. Cette fois, c'étaient des lotus que Chrysanthème avait mis dans nos vases de bronze, et mes yeux tombèrent, dès l'entrée, sur ces grands calices roses.

Elle dormait, elle, étendue par terre, suivant l'habitude de son sommeil de sieste.

... Quelle forme à part ils ont toujours, ces bouquets arrangés par Chrysanthème : quelque chose de difficile à définir, une sveltesse japonaise, une grâce apprêtée que nous ne saurions pas leur donner.

... Elle dormait à plat ventre sur les nattes, sa haute coiffure et ses épingles d'écaille faisant une saillie sur l'ensemble de son corps couché. La petite traîne de sa tunique prolongeait en queue sa personne délicate. Ses bras étaient étendus en croix, ses manches déployées comme des ailes — et sa longue guitare gisait à son côté.

Elle avait un air de fée morte. Ou bien encore elle ressemblait à quelque grande libellule bleue qui se serait abattue là et qu'on y aurait clouée.

Madame Prune, qui était montée derrière moi,

toujours empressée, officieuse, manifesta par gestes des sentiments indignés, en voyant cette réception insouciante de Chrysanthème à son seigneur et maître, — et s'avança pour la réveiller.

— Gardez-vous-en bien, bonne madame Prune ! Si vous saviez comme elle me plaît mieux ainsi !

J'avais laissé mes chaussures en bas, suivant l'usage, à côté des petits socques et des petites sandales ; et j'entrai sur la pointe du pied, tout doucement, pour aller m'asseoir sous la véranda.

Quel dommage que cette petite Chrysanthème ne puisse pas toujours dormir : elle est très décorative, présentée de cette manière, — et puis, au moins, elle ne m'ennuie pas. — Peut-être, qui sait ? si j'avais le moyen de mieux comprendre ce qui se passe dans sa tête et dans son cœur... Mais, c'est curieux, depuis que j'habite avec elle, au lieu de pousser plus loin l'étude de cette langue japonaise, je l'ai négligée, tant j'ai senti l'impossibilité de m'y intéresser jamais...

Assis sous ma véranda, je regardai à mes pieds les temples et les cimetières, et les bois, et les vertes montagnes, tout Nagasaki baigné de soleil. Les cigales faisaient leur bruit le plus strident, qui tremblait comme une fièvre de l'air. Tout cela était calme, lumineux et chaud...

Eh bien, pourtant, pas assez, à mon gré ! Qu'y a-t-il donc de changé sur terre ? Les midis brûlants d'été, ceux que je retrouve dans mes souvenirs lointains, avaient encore plus d'éclat, encore plus de soleil ; le Baal[19] autrefois me semblait plus puissant, et plus terrible. On dirait que tout ceci n'est qu'une copie pâle de ce que j'ai connu dans mes premières années, une copie à laquelle quelque chose manque. Et tristement je me demande à moi-même : la splendeur des étés, est-ce que vraiment ce n'est que cela, — *n'était-ce* que cela ? ou bien y a-t-il une erreur de mes yeux et, avec le temps, verrai-je ces choses pâlir encore ?...

... Derrière moi, une petite musique triste, triste à faire frissonner, — et grêle, grêle autant que le chant des cigales, — commença de se faire en sourdine, puis s'éleva, gémissante, comme la plainte mièvre de quelque âme japonaise en peine et en angoisse dans l'air silencieux de midi : Chrysanthème et sa guitare, qui s'éveillaient ensemble...

Et il me plut que cette idée lui fût venue, de me faire de la musique, me voyant là, au lieu de s'empresser à me dire bonjour. (A aucun moment je ne me suis imposé la contrainte d'avoir l'air un peu épris d'elle ; mais nos rapports deviennent froids de plus en plus, surtout quand nous sommes seuls.) — Aujourd'hui pourtant je me retournai pour lui sourire et, de la main, je lui fis signe : « Allons, joue encore. Cela m'amuse d'écouter ta petite improvisation étrange. » — C'est singulier que la musique de ce peuple rieur puisse être si plaintive. Mais, décidément, celle que fait Chrysanthème mérite d'être entendue... Où donc a-t-elle pris cela ? Quels indicibles rêves, à jamais mystérieux pour moi, passent dans sa cervelle jaune, quand elle joue ou chante de cette manière ?...

... Tout à coup : Pan, pan, pan ! on frappe trois fois, d'un doigt sec, sur une marche de notre escalier et, dans l'ouverture de notre porte, apparaît un imbécile en complet de drap gris qui nous fait la révérence.

— Entrez, entrez, monsieur Kangourou ! — Oh ! comme vous arrivez à point, au moment où j'allais presque me monter l'imagination pour des choses japonaises !...

C'était une petite note de blanchissage, que M. Kangourou désirait nous présenter respectueusement, avec un plongeon du haut du corps, une pose correcte des mains sur les genoux, et un long sifflement de couleuvre.

XXI

En continuant de suivre le chemin qui monte et passe devant chez nous, on trouve une dizaine de vieilles maisonnettes encore, quelques murs de jardins, — puis, plus rien que la montagne solitaire, les petits sentiers qui s'en vont vers les cimes à travers les plantations de thé, les buissons de camélias, les broussailles et les roches. Et ces montagnes tout autour de Nagasaki sont pleines de cimetières ; depuis des siècles et des siècles, on monte là des morts.

Mais ces sépultures japonaises n'ont pas de tristesse, pas d'horreur ; il semble que, chez ce peuple enfantin et léger, la mort même ne se prenne pas sérieusement. Les tombes sont des Bouddhas de granit, assis dans des lotus, ou des bornes funéraires avec des inscriptions d'or ; elles se tiennent groupées dans de petits enclos au milieu des bois, ou sur des terrasses naturelles agréablement situées ; on y arrive généralement par de longs escaliers de pierre tapissés de mousse, en passant de temps en temps sous quelqu'un de ces portiques sacrés dont la forme, toujours la même, est rude et simple, et qui sont une réduction de ceux des temples.

Au-dessus de chez nous, les tombes de la montagne sont si antiques qu'elles n'effraient pas, même la nuit. C'est une région de cimetières abandonnés. Les morts qu'on avait cachés là-dessous se sont fondus dans la terre. Ces milliers de petites bornes grises, ces multitudes de vieux petits bouddhas rongés par le lichen, semblent ne plus être que l'attestation de séries d'existences antérieures aux nôtres et tout à fait perdues dans le recul mystérieux des temps.

XXII

Les repas de Chrysanthème sont une invraisemblable chose.

Cela commence le matin, au réveil, par deux petits pruneaux verts des haies, confits dans du vinaigre et roulés dans de la poudre de sucre. Une tasse de thé complète ce déjeuner presque traditionnel au Japon, le même que l'on mange en bas chez madame Prune, le même que l'on sert aux voyageurs dans les hôtelleries.

Cela se continue dans le courant du jour par deux dînettes très drôlement ordonnées. De chez madame Prune, où ces choses se cuisinent, on les lui monte sur un plateau de laque rouge, dans de microscopiques tasses à couvercle : un hachis de moineau, une crevette farcie, une algue en sauce, un bonbon salé, un piment sucré... A tout cela, Chrysanthème goûte du bord des lèvres, à l'aide de ses petites baguettes, en relevant le bout de ses doigts avec une grâce affectée. A chaque mets elle fait une grimace, — en laisse les trois quarts et s'essuie les ongles après, avec horreur.

Ces menus varient beaucoup, suivant l'inspiration de madame Prune. Mais ce qui ne change jamais, ni chez nous ni ailleurs, ni au sud de l'empire ni au nord, c'est le dessert et la façon de le manger : après tant de petits plats pour rire, on apporte une cuve en bois cerclée de cuivre, une cuve énorme, comme pour Gargantua, et contenant jusqu'au bord du riz cuit à l'eau pure ; Chrysanthème en remplit un très grand bol (quelquefois deux, quelquefois trois), en salit la blancheur neigeuse avec une sauce noire, au poisson, qui est contenue dans une fine burette bleue ; — brasse ces choses ensemble ; — porte le bol à ses lèvres et enfourne tout ce riz, en le poussant avec ses deux baguettes jusqu'au fond de son gosier.

Ensuite on ramasse les petites tasses et les petits couvercles, les dernières miettes tombées sur ces nattes si blanches dont rien ne doit ternir jamais l'irréprochable netteté. La dînette est terminée.

XXIII

2 août.

En bas, dans la ville, à un carrefour, une chanteuse des rues s'était installée ; on s'assemblait pour l'entendre, et nous nous étions arrêtés comme les autres, nous trois qui passions, Yves, Chrysanthème et moi.

Toute jeune, un peu grasse, assez jolie, elle raclait sa guitare et chantait, en roulant les yeux d'une manière féroce comme un virtuose exécutant des difficultés. Elle baissait la tête, se rentrait le menton dans le cou pour tirer des notes plus creuses du fin fond de son corps ; elle arrivait à se faire une grosse voix rauque, une voix de vieux crapaud, une voix de ventriloque sortie je ne sais d'où (ce qui est la grande manière théâtrale, le dernier mot de l'art pour interprétation des morceaux tragiques).

Yves lui jeta un regard indigné :

— Oh ! par exemple ! dit-il, — mais c'est la voix d'une... (dans son étonnement, les mots lui manquaient) — c'est la voix d'un... d'un monstre !...

Et il me regarda, presque épouvanté par cette petite, anxieux de savoir ce que j'en pensais.

D'ailleurs il était de mauvaise humeur aujourd'hui, mon pauvre Yves, parce que je l'avais obligé à sortir coiffé de certain chapeau de paille, à bords très relevés, qui ne lui plaît pas :

— Il te va très bien, Yves, je t'assure.

— Oui ? Vous le dites, vous... Il ressemble à un *nid de pie*[20], moi je trouve !

Comme diversion à cette chanteuse et à ce chapeau, voici maintenant un cortège, qui nous arrive du bout de la rue là-bas, quelque chose comme un enterrement. Des bonzes marchent en tête, vêtus de robes en gaze noire, — un air de prêtres catholiques ; le principal personnage du défilé, le mort, vient par-derrière, assis dans une sorte de petit palanquin fermé, tout à fait gentil. Suivent une bande de mousmés, cachant leur figure rieuse sous un semblant de voile et portant, dans des vases de forme sacrée, les lotus artificiels à pétales d'argent qui sont de rigueur pour les funérailles ; puis de belles dames marchent après, minaudières, étouffant des envies de rire, sous des parasols où sont peints en couleurs gaies des papillons et des cigognes...

Les voici tout près de nous, il faut nous ranger pour leur faire place. — Et Chrysanthème tout à coup prend un air de circonstance ; Yves se découvre, ôte son *nid de pie*...

C'est pourtant vrai, que c'est la mort qui passe ! Moi qui oubliais... cela en avait si peu l'air...

Le cortège va grimper bien haut, bien haut, au-dessus de Nagasaki, dans la verte montagne toute peuplée de tombes. Là, on déposera dans la terre cet infortuné bonhomme, son palanquin par-dessus lui, et ses vases, et ses fleurs en papier argenté. Enfin !... au moins il sera dans un lieu agréable, ce pauvre mort, et jouira d'une vue charmante...

On s'en reviendra, moitié riant, moitié pleurnichant.

Demain, on n'y pensera plus.

XXIV

4 août.

La *Triomphante*, qui était sur rade, presque au pied des collines où ma maison est perchée, entre aujourd'hui au bassin, pour réparer ses flancs éraillés pendant le long blocus de Formose[21].

Et me voici fort loin de chez moi, à présent ; obligé de traverser en canot toute la baie pour aller retrouver Chrysanthème, car ce bassin est situé sur la rive opposée à Diou-djen-dji. Il est creusé dans une petite vallée, étroite et profonde ; toute sorte de verdures se penchent au-dessus, des bambous, des camélias, des arbres quelconques ; notre mâture, nos vergues, vues du pont, ont l'air d'être accrochées dans les branches.

Cette situation d'un navire qui ne flotte plus donne à l'équipage la facilité de sortir clandestinement à n'importe quelle heure de la nuit, et nos matelots ont lié des relations avec toutes les petites filles des villages qui sont suspendus dans la montagnes au-dessus de nous.

Ce séjour, cette liberté trop grande m'inquiètent pour mon pauvre Yves, — auquel ce pays de plaisir tourne un peu la tête.

D'ailleurs, de plus en plus, je le crois amoureux de Chrysanthème.

C'est grand dommage vraiment que ce sentiment-là ne me soit pas venu plutôt à moi, puisque j'ai tant fait que de l'épouser…

XXV

Je continue, malgré la distance plus grande, d'aller chaque jour à Diou-djen-dji. La nuit tombée, quand les quatre ménages amis du mien sont venus nous rejoindre, Yves aussi, et l'*ami d'une surprenante hauteur*, nous redescendons en bande vers la ville, dégringolant aux lanternes par les escaliers et les rampes du vieux faubourg.

Toujours pareille, cette promenade nocturne, avec des amusements semblables : mêmes stations devant les étalages baroques, mêmes boissons sucrées servies dans les mêmes jardinets. Mais notre bande est souvent très augmentée ; d'abord, nous emmenons Oyouki, que ses parents nous confient ; puis deux cousines de ma femme qui sont fort mignonnes, et enfin des amies, des petites invitées de dix ou douze ans quelquefois, fillettes de notre quartier envers lesquelles nos mousmés ont désiré se montrer polies.

Oh ! l'étonnante petite compagnie que nous traînons à notre suite, dans les maisons de thé, le soir ! Les impayables minois, les piquets de fleurs drôlement plantés sur des têtes enfantines et comiques ! — On dirait d'un vrai pensionnat de mousmés en récréation de nuit sous notre surveillance.

Yves nous raccompagne lorsqu'il s'agit ensuite de remonter chez nous, — Chrysanthème poussant de gros soupirs d'enfant fatigué, s'arrêtant à chaque marche, s'appuyant à nos bras.

Quand nous sommes en haut, il nous dit adieu, touche la main de Chrysanthème, puis redescend encore une fois, par le versant qui mène aux quais, aux navires, et traverse la rade dans un sampan pour regagner la *Triomphante*.

Nous, à l'aide d'une sorte d'anneau à secret, nous ouvrons la porte de notre jardin, où les pots de fleurs de madame Prune, alignés dans l'obscurité, répandent leur bonne odeur suave du soir. Nous traversons ce jardin, au clair de lune ou des étoiles, et nous montons chez nous.

S'il est très tard, — ce qui arrive quelquefois, — nous trouvons en rentrant tous nos panneaux de bois tirés et fermés par les soins de M. Sucre (précaution contre les voleurs), notre appartement clos comme une vraie chambre européenne.

Il y a, dans cette maison ainsi calfeutrée, une étrange odeur mêlée à celle du musc et des lotus ; une intime odeur de Japon, de race jaune, qui est montée du sol ou qui est sortie des boiseries antiques ; — presque une fétidité de fauve. Le tendelet de gaze bleu-nuit, disposé pour notre coucher, descend du plafond avec un air de vélum mystérieux. Le Bouddha doré sourit toujours devant ses veilleuses qui brûlent ; quelque phalène habituée du logis, qui dormait dans le jour collée à notre plafond, tournoie maintenant sous le nez du dieu, autour des deux petites flammes grêles. Et sur le mur, plaquée, les pattes en étoile, sommeille quelque grosse araignée des jardins, — qu'il ne faut pas tuer parce que c'est le soir. — « Hou ! » fait Chrysanthème, indignée, en me la désignant du bout de son doigt. — Vite, l'éventail consacré aux bêtes, pour la chasser dehors...

Autour de nous règne un silence qui serre presque le cœur, après tous ces tapages joyeux de la ville et tous ces rires de mousmés qui viennent de finir ; — un silence de campagne, un silence de village endormi.

XXVI

Le bruit de ces innombrables panneaux de bois que l'on tire et que l'on ferme, au commencement de chaque nuit, dans toutes les maisons japonaises, est une des choses de ce pays qui me resteront dans la mémoire. De chez les voisins, par-dessus les jardinets verts, ces bruits nous arrivent les uns après les autres, par séries, plus ou moins étouffés, plus ou moins lointains.

Juste au-dessous de nous, ceux de madame Prune roulent très mal, grincent, font tapage dans leurs rainures usées.

Les nôtres sont bruyants aussi, car la vieille case est sonore, et il faut en faire courir au moins vingt sur de longues glissières, pour clore complètement l'espèce de halle ouverte que nous habitons. En général, c'est Chrysanthème qui se charge de ce soin de ménagère, peinant beaucoup, se pinçant les doigts souvent, et très malhabile avec ses mains trop petites qui n'ont jamais travaillé de leur vie.

Après, vient sa toilette de nuit. Avec une certaine grâce, elle laisse tomber la robe du jour pour en mettre une plus simple, en toile bleue, qui a les mêmes manches pagodes, la même forme, moins la traîne, et qu'elle s'attache aux reins par une ceinture en mousseline de couleur assortie.

La haute coiffure reste intacte, cela va sans dire,

sauf les épingles, qui sont dépiquées et couchent près de nous dans une boîte en laque.

Il y a la petite pipe d'argent, ensuite, qu'il faut fumer avant de s'endormir : c'est une des choses qui m'impatientent, mais qui doivent être subies.

Chrysanthème, comme une gipsy, s'accroupit devant certaine boîte carrée, en bois rouge, qui contient un petit pot à tabac, un petit fourneau de porcelaine avec des charbons toujours allumés, — et enfin un petit vase en bambou pour déposer la cendre et cracher la salive. (En bas, la boîte à fumer de madame Prune, et ailleurs, les boîtes à fumer de tous les Japonais et de toutes les Japonaises, sont semblables, contiennent les mêmes choses disposées de la même façon, — et partout, au milieu des appartements pauvres ou riches, traînent par terre.)

Le mot « pipe » est bien trivial et surtout bien gros pour désigner ce mince tube d'argent, tout droit, au bout duquel, dans un récipient microscopique, on met une seule pincée de tabac blond, haché plus menu que des fils de soie.

Deux bouffées, trois au plus ; cela dure à peine quelques secondes, et la pipe est finie. — Ensuite, *pan, pan, pan, pan,* on frappe le tuyau très fort contre le rebord de la boîte à fumer, pour faire tomber cette cendre qui ne veut jamais sortir ; — et ce tapotage, qui s'entend partout, dans chaque maison, à n'importe quelle heure de la nuit ou du jour, drôle et rapide comme un grattement de singe, est au Japon un des bruits caractéristiques de la vie humaine...

— *Anata, nomimasé !* (Toi aussi, fume !) dit Chrysanthème.

Ayant rempli de nouveau la petite pipe agaçante, elle présente à mes lèvres, avec une révérence, le tube d'argent, — et je n'ose pas refuser, par courtoisie ; mais c'est âcre, détestable...

Maintenant, avant de m'étendre sous la moustiquaire bleu sombre, je vais rouvrir deux des panneaux du logis, l'un du côté du sentier désert, l'autre sur les jardins en terrasse, afin que l'air de la nuit puisse passer sur nous, au risque de nous amener d'autres hannetons attardés ou d'autres phalènes étourdies.

Notre maison, tout en bois vieux et mince, vibre la nuit comme un grand violon sec ; les bruissements les plus légers y grandissent, s'y défigurent, y deviennent inquiétants. Sous la véranda, deux petites harpes éoliennes, suspendues, font au moindre souffle leur tintement de lames de verre, semblable au murmure harmonieux d'un ruisseau ; dehors, jusque dans les derniers lointains, les cigales continuent leur grande musique éternelle, et, au-dessus de nous, sur le toit noir, on entend, comme un galop de sorcière, passer la bataille à mort des chats, des rats et des hiboux...

... Plus tard, aux dernières heures de la nuit, Chrysanthème ira fermer sournoisement ces panneaux que j'ai rouverts, — quand soufflera certain vent plus frais qui monte jusqu'à nous, de la mer et de la rade profonde, avec l'extrême matin.

Auparavant elle se sera bien levée trois fois au moins, pour fumer : ayant bâillé à la manière des chattes, s'étant étirée, ayant contourné dans tous les sens ses petits bras d'ambre et ses toutes petites mains gracieuses, elle se redresse résolument, pousse des plaintes de réveil très enfantines et assez mignonnes ; puis sort de la tente de gaze, remplit sa petite pipe et aspire deux ou trois bouffées de la chose âcre et déplaisante.

Ensuite : *pan, pan, pan, pan*, contre la boîte, pour secouer la cendre. Dans la sonorité nocturne, cela fait un bruit terrible — qui réveille madame Prune, c'était fatal. Et voilà madame Prune prise d'une envie de fumer, elle aussi, absolument suggestionnée ; — alors, à ce bruit d'en haut, répond d'en bas un autre : *pan, pan, pan, pan*, tout à fait pareil, exaspérant et inévitable comme un écho.

XXVII

Plus joyeuses sont les musiques du matin : les coqs qui chantent ; les panneaux de bois qui s'ouvrent dans le voisinage ; ou le cri bizarre de quelque petit marchand de fruits, parcourant dès l'aube notre haut faubourg. Et les cigales ayant l'air de chanter plus fort, à cette fête de la lumière revenue.

Surtout, il y a la longue prière de madame Prune qui, d'en bas, nous arrive à travers le plancher, monotone comme une chanson de somnambule, régulière et berçante comme un bruit de fontaine. Cela dure trois quarts d'heure pour le moins ; sur des notes hautes, rapides, nasillardes, cela se psalmodie abondamment ; de temps à autre, quand les esprits lassés n'étoutent plus, cela s'accompagne de battements de mains très secs — ou bien des sons grêles de certain claquebois qui se compose de deux disques en racine de mandragore ; c'est un jet ininterrompu de prière ; c'est intarissable et cela chevrote sans cesse comme le bêlement d'une vieille bique en délire...

« *Après s'être lavé les mains et les pieds,* disent les saints livres, *on invoquera le grand Dieu Ama-Térace-Omi-Kami, qui est le roi de puissance de l'empire Japonais ; on invoquera les mânes de tous les défunts empereurs qui dérivent de lui ; les mânes ensuite de tous ses ancêtres personnels, jusqu'aux générations les plus reculées ; les Esprits de l'air et de la mer ; les Esprits des lieux secrets et immondes ; les Esprits sépulcraux du pays des racines, etc., etc.* »

« Je vous estime et vous implore, chante madame Prune, ô Ama-Térace-Omi-Kami, roi de puissance. Protégez sans cesse votre peuple qui est prêt à se sacrifier à la patrie. Accordez-moi de devenir très sainte comme vous êtes et faites-moi la grâce de chasser de mon esprit les idées obscures. Je suis lâche et pécheresse : expulsez mes lâchetés et mes péchés comme le vent du nord emporte la poussière dans la mer. Lavez-moi blanchement de mes souillures, comme on lave des saletés dans la rivière de Kamo[22]. — Faites-moi la grâce de devenir la plus riche femme du monde. — Je crois en votre lumière qui se répandra sur la terre et l'éclaircira incessamment, pour mon bonheur. Faites-moi la grâce de conserver la santé de ma famille, — et surtout la mienne, à moi, qui, ô Ama-Térace-Omi-Kami, n'estime et n'adore que vous-même, etc., etc. »

Ensuite, viennent tous les empereurs, tous les Esprits et la liste interminable des ancêtres.

De son fausset tremblant de vieille femme, madame Prune chante tout cela, vite à perdre haleine, sans en rien omettre.

Et c'est bien étrange à entendre ; à la fin, on ne dirait plus un chant humain ; c'est comme une série de formules magiques qui s'échapperaient, se dévideraient d'un rouleau inépuisable, pour prendre leur vol dans l'air. Par son étrangeté même et par sa persistance d'incantation, cela arrive à produire, dans ma tête encore endormie, une sorte d'impression religieuse.

Et chaque jour je m'éveille au bruit de cette litanie shintoïste qui vibre au-dessous de moi dans la sonorité exquise des matins d'été, — tandis que nos veilleuses s'éteignent devant le Bouddha souriant, tandis que l'éternel soleil, à peine levé, envoie déjà, par les petits trous de nos panneaux de bois, des rayons qui traversent notre logis obscur, notre tendelet de gaze bleu-nuit, comme de longues flèches d'or.

C'est à ce moment qu'il faut se lever ; descendre quatre à quatre jusqu'à la mer, par des sentiers d'herbes pleins de rosée, — et regagner mon navire.

Hélas ! Autrefois c'était le chant du muezzin qui me réveillait, les matins sombres d'hiver, là-bas dans le grand Stamboul enseveli...

. . . .

XXVIII

Chrysanthème a apporté peu de bagage avec elle, sachant bien que notre mariage ne durera pas.

Elle a placé ses robes et ses belles ceintures dans des petites niches fermées qui se dissimulent contre une des murailles de notre appartement (la muraille du nord, la seule des quatre qui ne soit pas démontable). Les portes de ces niches sont des panneaux de papier blanc ; les étagères, les compartiments intérieurs, en bois finement menuisé, sont disposés d'une manière trop cherchée, trop ingénieuse, qui éveille des craintes de doubles fonds, de trucs pour jouer des farces. On dépose là les objets sans confiance, avec le vague sentiment que ces armoires pourraient bien, d'elles-mêmes, vous les escamoter.

Parmi les affaires de Chrysanthème, ce qui m'amuse à regarder, c'est la boîte consacrée aux lettres et aux souvenirs : elle est en fer-blanc, de fabrication anglaise, et porte sur son couvercle l'image coloriée d'une usine des environs de Londres. — Naturellement c'est comme chose d'art exotique, comme *bibelot,* que Chrysanthème la préfère à d'autres mignonnes boîtes, en laque ou en marqueterie, qu'elle possède. — On y trouve tout ce qu'il faut pour la correspondance d'une mousmé : de l'encre de Chine ; un pinceau ; du papier de couleur grise, très mince, taillé en longues bandes étroites ; de bizarres enveloppes, où l'on introduit ce papier (après l'avoir replié sur lui-même une trentaine de fois), et qui sont ornées de paysages, de poissons, de crabes ou d'oiseaux.

Sur des lettres anciennes, qui sont là, à elle adressées, je sais reconnaître les deux caractères qui signifient son nom : « Kikou-San » (Chrysanthème madame). Et quand je l'interroge, elle me répond en japonais, avec un air de femme sérieuse :

— Mon cher, ce sont des lettres de mes amies.

Oh ! ces amies de Chrysanthème, quels minois elles ont ! Il y a leurs portraits, dans cette même boîte ; leurs photographies, collées sur des *cartes de visite* qui portent au dos le nom d'Uyeno, le bon faiseur de Nagasaki : des petites personnes qui étaient faites pour figurer gentiment dans des paysages d'éventail et qui se sont efforcées d'avoir un bon maintien quand on leur a pris la nuque dans l'appuie-tête en leur disant : « Ne bougeons plus. »

Cela m'amuserait bien de lire ces lettres d'amies, — et surtout les réponses que leur fait ma mousmé...

XXIX

10 août.

Ce soir, grande pluie ; nuit épaisse et noire. Vers dix heures, revenant d'une de ces maisons de thé à la mode que nous fréquentons beaucoup, nous arrivons, Yves, Chrysanthème et moi, à certain angle familier de la grand'rue, à certain tournant où il faut quitter les lumières et le bruit de la ville pour s'engager dans les escaliers noirs, les sentiers à pic qui montent chez nous, à Diou-djen-dji.

Là, avant de commencer l'ascension, il s'agit d'abord d'acheter une lanterne, chez une vieille marchande nommée madame Très-Propre*, dont nous sommes les pratiques assidues. — C'est inouï la consommation que nous en faisons, de ces lanternes en papier, dont les peintures représentent invariablement des papillons de nuit ou des chauves-souris. — Au plafond de la boutique, il y en a des quantités énormes qui pendent par grappes, et la vieille, nous voyant venir, monte sur une table pour les attraper. — Le gris ou le rouge sont nos couleurs habituelles ; madame Très-Propre sait cela et néglige les lanternes vertes ou bleues. Mais il est toujours très difficile d'en décrocher une, — à cause des bâtonnets par où on les tient, des ficelles par où on les attache, qui s'enchevêtrent ensemble. Par des gestes outrés, madame Très-

* En japonais *O Séï-San*.

Propre exprime combien elle est désolée d'abuser ainsi de nos honorables moments : oh ! si cela ne dépendait que d'elle-même !... mais voilà, ces choses emmêlées n'ont aucune considération pour la dignité des personnes. Avec mille singeries, elle croit même devoir leur faire des menaces et leur montrer le poing, à ces ficelles indébrouillables qui ont l'outrecuidance de nous causer du retard. — C'est bien, nous connaissons ce manège par cœur. Si cela l'impatiente, cette vieille dame, nous aussi. Chrysanthème, qui s'endort, est prise d'une série de petits bâillements de chat, qu'elle ne se donne même pas la peine de dissimuler avec sa main et qui n'en finissent plus. Elle fait une moue très longue à l'idée de cette côte si raide qu'il va falloir cette nuit remonter sous une pluie battante.

Je suis comme elle, cela m'ennuie bien. Et dans quel but, mon Dieu, grimper chaque soir jusqu'à ce faubourg, quand rien ne m'attire dans ce logis de là-haut ?...

L'ondée redouble ; comment allons-nous faire ?... Dehors passent des djins rapides, criant gare, éclaboussant les piétons, projetant, en traînées dans l'averse, les feux de leurs lanternes multicolores. Passent des mousmés et des vieilles dames, troussées, crottées, rieuses tout de même sous leurs parapluies de papier, échangeant des révérences et faisant claquer sur les pierres leurs socques de bois ; la rue est pleine d'un tapotement de sabots et d'un grésillement de pluie.

Passe aussi, par bonheur, 415, notre cousin pauvre, qui s'arrête voyant notre détresse, et promet de nous tirer d'affaire : le temps d'aller déposer sur le quai un Anglais qu'il roule, et il reviendra à notre secours, avec tout ce qui est nécessaire à notre triste situation.

Enfin voici notre lanterne décrochée, allumée, payée. En face, il y a une autre boutique à laquelle nous nous arrêtons aussi chaque soir ; c'est chez madame L'Heure*, la marchande de gaufres ; nous

* En japonais : *Tôki-San*.

faisons toujours provision chez elle pour nous soutenir pendant la route. — Très sémillante cette pâtissière, et en frais de coquetterie avec nous ; elle forme vignette de paravent derrière ses piles de gâteaux agrémentées de petits bouquets. Abritons-nous sous son toit pour attendre, — et, à cause des gouttières qui tombent dru, plaquons-nous le plus possible contre son étalage de bonbons blancs ou roses, arrangés très artistement sur des branches de cyprès fines et fraîches.

Pauvre 415, quelle providence pour nous ! — Il reparaît déjà, cet excellent cousin, toujours souriant, toujours courant, tandis que l'eau ruisselle sur ses belles jambes nues, et il nous apporte deux parapluies, empruntés à un marchand de porcelaine qui est aussi notre parent éloigné. Yves, comme moi, jamais de sa vie n'avait voulu se servir de ce genre d'objet, mais il accepte ceux-ci parce qu'ils sont drôles : en papier naturellement, à plissures cirées et gommées, avec l'inévitable vol de cigognes semé en guirlande tout autour.

Chrysanthème, bâillant de plus en plus à sa manière chatte et devenue câline pour se faire traîner, essaie de prendre mon bras :

— Mousmé, pour ce soir, si tu demandais plutôt ce service à Yves-San ; je suis sûr que cela nous arrangerait tous les trois.

La voilà donc, elle toute petite, pendue à ce très grand, et ils grimpent. J'ouvre la marche, portant la lanterne qui nous éclaire, et dont j'abrite la flamme de mon mieux sous mon extravagant parapluie.

De chaque côté du chemin, on entend comme un torrent qui roule : l'eau de tout cet orage dégringolant de la montagne. La route nous paraît longue cette nuit, difficile, glissante ; les séries de marches, interminables. Des jardins, des maisons, échafaudés les uns par-dessus les autres ; des terrains vagues, des arbres qui, dans l'obscurité, se secouent sur nos têtes.

On dirait que Nagasaki monte en même temps que nous, — mais là-bas, très loin, dans une sorte de buée qui semble lumineuse sous le noir du ciel ; il sort de cette ville un bruit confus de voix, de roulements, de gongs, de rires.

Cette pluie d'été n'a pas rafraîchi l'air encore. A cause de la chaleur orageuse qu'il fait, les maisonnettes de ce faubourg sont restées ouvertes, comme des hangars, et nous voyons ce qui s'y passe. Des lampes toujours allumées devant les Bouddhas familiers et les autels d'ancêtres; — mais tous les bons Nippons déjà couchés. Sous les traditionnels tendelets de gaze bleu-vert, on les aperçoit, étendus par rangées, par familles; ils dorment, chassent des moustiques ou s'éventent : des Nippons, des Nipponnes, et des bébés nippons aussi, à côté de leurs parents; chacun, jeune ou vieux, ayant sa robe de nuit en indienne bleu foncé et son petit chevalet en bois pour reposer sa nuque.

Il y a de rares maisons où l'on s'amuse encore : de loin en loin, par-dessus les jardins sombres, un son de guitare nous vient : quelque danse incompréhensiblement rythmée dont la gaîté est triste.

Voici certain puits entouré de bambous, auprès duquel nous avons l'habitude de faire halte nocturne pour laisser respirer Chrysanthème. Yves me prie de diriger sur lui la lueur rouge de ma lanterne pour le bien reconnaître : c'est qu'il marque pour nous la moitié de la route.

Et enfin, enfin, voici notre logis! — Porte close; obscurité et silence profonds. Tous nos panneaux ont été fermés par les soins de M. Sucre et de madame Prune; la pluie ruisselle sur le bois de nos vieux murs noirs.

Avec un temps pareil, il n'est pas possible de laisser Yves redescendre encore, pour aller rôder le long de la mer, en quête d'un sampan de louage. Non, il ne retournera pas à bord ce soir; nous allons le faire coucher chez nous. Sa petite chambre a été prévue, du reste, dans les conditions de notre bail, et nous allons la lui fabriquer tout de suite, — bien qu'il refuse, par discrétion. Entrons, déchaussons-nous, secouons-nous bien comme des chats sur lesquels une averse est tombée, et montons dans notre appartement.

Devant le Bouddha, les petites lampes brûlent ; au milieu de la chambre, la gaze bleu-nuit est tendue. En arrivant, la première impression est bonne : il est gentil, le logis, ce soir ; il a un vrai mystère, à cause de ce silence et de cette heure tardive. Et puis, par un temps pareil, il fait toujours bon rentrer chez soi...

Allons, vite, faisons la chambre d'Yves. Chrysanthème, très en train à l'idée que son grand ami va coucher près d'elle, y met toutes ses forces ; d'ailleurs il s'agit simplement de pousser dans leurs glissières trois ou quatre panneaux de papier, qui formeront tout de suite une chambre à part, un compartiment dans la grande boîte où nous logeons. — Je les avais crus complètement blancs, ces panneaux : eh bien, non ! il y a sur chacun d'eux un groupe de deux cigognes, — peintes en grisaille dans ces poses inévitables que l'art japonais a consacrées : l'une qui porte la tête altière et lève une jambe avec noblesse, l'autre qui se gratte. Oh ! ces cigognes... ce qu'elles vous impatientent, au bout d'un mois de Japon !...

Voilà donc Yves couché et dormant sous notre toit.

Le sommeil lui est venu ce soir plus vite qu'à moi-même : c'est que j'ai cru remarquer des regards très longs, de Chrysanthème à lui, de lui à Chrysanthème.

Je lui laisse entre les mains cette petite comme un jouet, et une crainte me vient à présent d'avoir jeté un certain trouble dans sa tête. De cette Japonaise, je me soucie comme de rien. Mais Yves... ce serait mal de sa part, et cela porterait une atteinte grave à ma confiance en lui...

On entend la pluie tomber sur notre vieux toit ; les cigales se taisent ; des senteurs de terre mouillée nous arrivent des jardins et de la montagne. Je m'ennuie désespérément dans ce gîte ce soir ; le bruit de la petite pipe m'irrite plus que de coutume et, quand Chrysanthème s'accroupit devant sa boîte à fumer, je lui trouve un air *peuple* dans le plus mauvais sens du mot.

Je la prendrais en haine, ma mousmé, si elle entraînait mon pauvre Yves à une mauvaise action que je ne lui pardonnerais peut-être plus...

XXX

12 août.

Les époux Y*** et Sikou-San ont divorcé hier. — Le ménage Charles N*** et Campanule marche assez mal. Ils ont eu des difficultés avec ces petits bonshommes en complet de coutil gris, fureteurs, pressurants, insupportables, qui sont les agents de la police ; on les a fait chasser de leur maison, en intimidant leur propriétaire (sous l'amabilité obséquieuse de ce peuple, il y a un vieux fond de haine contre nous qui venons d'Europe) ; les voilà donc obligés d'accepter l'hospitalité de leur belle-mère, situation bien pénible. — Et puis Charles N*** se croit trompé. Il n'y a pas d'illusion à se faire du reste : ces partis, que nous a procurés M. Kangourou, sont des *demi-jeunes filles,* si l'on peut dire, des petites personnes ayant déjà eu dans leur vie un léger roman, ou même deux. Alors, il est bien naturel de se méfier un peu...

Le ménage Z*** et Touki-San va cahin-caha, avec des disputes.

Le mien conserve plus de dignité, non moins d'ennui. L'idée de divorcer m'est bien venue ; mais je ne vois guère de raison valable pour faire cet affront à Chrysanthème, et puis une chose surtout m'a arrêté : j'ai eu des difficultés, moi aussi, avec les autorités civiles.

Avant-hier, M. Sucre très ému, madame Prune en

pâmoison, mademoiselle Oyouki tout en larmes sont montés chez moi comme un ouragan. Les agents de la police nipponne étaient venus leur faire de grosses menaces, pour loger ainsi, en dehors de la concession européenne, un Français morganatiquement marié à une Japonaise, — et la terreur les prenait d'être poursuivis ; humblement avec mille formes affables, ils me priaient de partir.

Le lendemain donc, accompagné de l'*ami d'une invraisemblable hauteur* qui s'exprime mieux que moi, je me suis rendu au bureau de l'état civil, dans le but d'y faire une scène affreuse.

Dans la langue de ce peuple poli, les injures manquent complètement ; quand on est très en colère, il faut se contenter d'employer le *tutoiement d'infériorité* et la *conjugaison familière* qui est à l'usage des gens de rien. Assis sur la table des mariages, au milieu de tous les petits fonctionnaires ahuris, je débute en ces termes.

— Pour que tu me laisses en paix dans le faubourg que j'habite, quel pourboire faut-il t'offrir, réunion de petits êtres plus vils que les portefaix des rues ?

Grand scandale muet, consternation silencieuse, révérences estomaquées.

— Certainement, disent-ils enfin, on laissera en paix mon honorable personne ; on ne demande pas mieux, même. Seulement, pour me soumettre aux lois du pays, j'aurais dû venir ici déclarer mon nom et celui de la jeune personne que... avec laquelle...

— Oh ! c'est trop fort, par exemple ! Mais je suis venu exprès, troupe méprisable, il n'y a pas trois semaines !

Alors je prends moi-même le registre de l'état civil : en feuilletant, je retrouve la page, ma signature et, à côté, le petit grimoire qu'a dessiné Chrysanthème :

— Tiens, assemblée d'imbéciles, regarde !

Survient un très haut chef — petit vieux grotesque en redingote noire — qui de son bureau écoutait la scène :

— Qu'est-ce qu'il y a ? que se passe-t-il ? quelle avanie a-t-on faite aux officiers français ?

Je conte plus poliment mon cas à ce personnage qui se confond en promesses et en excuses. Tous les petits agents se prosternent à quatre pattes, rentrent sous terre, et nous sortons, dignes et froids, sans rendre les saluts.

M. Sucre et madame Prune peuvent être tranquilles, on ne les inquiétera plus.

XXXI

23 août.

Le séjour de la *Triomphante* dans le bassin, l'éloignement où nous sommes de la ville, me servent de prétexte depuis deux ou trois jours pour ne plus aller à Diou-djen-dji voir Chrysanthème.

On s'ennuie pourtant beaucoup, dans ce bassin. Dès l'aube, une légion de petits ouvriers japonais nous envahissent, apportant leur dîner dans des paniers et des gourdes, comme les ouvriers de nos arsenaux français ; mais ayant quelque chose de besogneux et de minable, de fureteur et d'empressé qui fait songer à des rats. Ils se faufilent d'abord sans bruit, s'insinuent, et bientôt on en trouve partout, sous la quille, à fond de cale, dans les trous, qui scient, tapotent, réparent.

Il fait une chaleur intense, dans ce lieu surplombé par des rochers et des fouillis de verdure.

Au grand soleil de deux heures, c'est une invasion plus étrange et plus jolie qui nous arrive : celle des scarabées et des papillons.

Des papillons extravagants, comme sur les éventails. Il y en a de tout noirs, qui se jettent contre nous par étourderie, si légers qu'on dirait de grandes ailes tremblotantes, attachées ensemble, sans corps.

Yves les regarde, étonné :

— Oh ! dit-il en prenant son air enfant, j'en ai vu

un si grand tout à l'heure, un si grand... qu'il m'a épouvanté; j'ai cru que c'était... une chauve-souris qui avait affaire à moi.

Un timonier, qui en a attrapé un très singulier, l'emporte, précieusement, pour le mettre à sécher dans son livre de signaux, comme on fait pour les fleurs.

Un autre matelot qui passe, portant son maigre rôti au four dans une gamelle, le regarde d'un œil drôle :

— Tu ferais pas mal de me le donner, tiens... Je le ferais cuire !

XXXII

24 août.

Cinq jours bientôt que j'ai abandonné ma maisonnette et Chrysanthème.

Depuis hier, grand vent et pluie torrentielle. (Un typhon qui va passer ou qui passe.) Nous avons fait branle-bas au milieu de la nuit pour *caler les mâts de hune, amener les basses vergues,* prendre toutes les dispositions de gros temps. Les papillons ne viennent plus, mais tout s'agite et se tord au-dessus de nos têtes ; sur les parois des montagnes surplombantes, les arbres se froissent, les herbes se couchent, ont un air de souffrir ; des rafales terribles les tourmentent avec des bruits sifflants ; il nous tombe, en pluie, des branches, des feuilles de bambou, de la terre.

Et, en ce pays de gentilles petites choses, cette tempête détonne ; il semble que son effort soit exagéré et sa musique trop grande.

Vers le soir, les grosses nuées sombres roulent si vite que les averses sont courtes, tout de suite égouttées, tout de suite finies. — Alors je tente d'aller me promener dans la montagne au-dessus de nous, parmi les verdures mouillées : — il y a des petits sentiers qui y mènent, entre des buissons de camélias et de bambous.

... Pour laisser passer une ondée, je me réfugie dans la cour d'un très vieux temple, qui est à mi-côte, abandonné au milieu d'un bois d'arbres séculaires aux ramures gigantesques ; on y monte par des escaliers de granit, en passant sous de très étranges portiques, aussi rongés que les Grandes Pierre des Celtes. Les arbres ont envahi aussi cette cour ; la lumière y est voilée, verdâtre ; il y tombe une pluie torrentielle, mêlée de feuilles et de mousses arrachées. Des vieux monstres en granit, de tournures inconnues, sont assis dans les coins et font des grimaces d'une férocité souriante ; leurs figures expriment des mystères sans nom, qui font frissonner, au milieu de cette musique gémissante du vent, sous cette obscurité des nuages et des branches.

Ils ne devaient pas ressembler aux Japonais d'aujourd'hui, les hommes qui ont conçu tous ces temples d'autrefois, qui en ont construit partout, qui en ont rempli ce pays jusque dans ses derniers recoins solitaires.

Une heure plus tard, au crépuscule de cette journée de typhon, toujours dans cette même montagne, le hasard me conduit sous des arbres ressemblant à des chênes ; ils sont tordus toujours par ce vent, et les touffes d'herbes sous leurs pieds ondulent, couchées, rebroussées en tous sens... Là, je retrouve très nettement tout d'un coup ma première impression de grand vent dans les bois — dans les bois de la Limoise[23], en Saintonge, il y a quelque vingt-huit ans, à l'un des mois de mars de ma petite enfance.

Il soufflait sur l'autre face du monde, ce premier coup de vent que mes yeux ont vu dans la campagne, — et les années rapides ont passé sur ce souvenir — et depuis, le plus beau temps de ma vie s'est consumé...

J'y reviens beaucoup trop souvent à mon enfance ; j'en rabâche en vérité. Mais il me semble que je n'ai eu des impressions, des sensations qu'en ce temps-là ; les moindres choses que je voyais ou que j'entendais avaient alors des dessous d'une profondeur insondable et infinie ; c'étaient comme des images réveillées, des rappels d'existences antérieures ; ou bien c'étaient comme des pressentiments d'existences à venir, d'incarnations futures dans des pays de rêve ; et puis des attentes de merveilles de toute sorte — que le monde et la vie me réservaient sans doute pour plus tard — pour quand je grandirais. Eh bien, j'ai grandi et n'ai rien trouvé sur ma route, de toutes ces choses vaguement entrevues ; au contraire, tout s'est rétréci et obscurci peu à peu autour de moi ; les ressouvenirs se sont effacés, les horizons d'en avant se sont lentement refermés et remplis de ténèbres grises. Il sera bientôt l'heure de m'en retourner dans l'éternelle poussière, et je m'en irai sans avoir compris le pourquoi mystérieux de tous ces mirages de mon enfance ; j'emporterai avec moi le regret de je ne sais quelles patries jamais retrouvées, de je ne sais quels êtres désirés ardemment et jamais embrassés...

XXXIII

M. Sucre, avec mille grâces, du bout de son fin pinceau trempé dans l'encre de Chine, a tracé sur une jolie feuille de papier de riz deux cigognes charmantes et me les a offertes de la manière la plus aimable, comme un souvenir de lui. Elles sont là, dans ma chambre de bord, et, dès que je les regarde, je crois revoir M. Sucre, les traçant à main levée avec une si élégante aisance.

Le godet dans lequel M. Sucre délaie son encre est en lui-même un vrai bijou. Taillé dans un bloc de jade, il représente un petit lac avec un rebord fouillé en manière de rocailles. Et sur ce rebord, il y a une petite maman crapaud, également en jade, qui s'avance comme pour se baigner dans le petit lac où M. Sucre entretient quelques gouttelettes d'un liquide bien noir. Et cette maman crapaud a quatre petits enfants crapauds également en jade, l'un perché sur sa tête, les trois autres folâtrant sous son ventre.

M. Sucre a peint beaucoup de cigognes dans le courant de sa vie, et il excelle vraiment à représenter des groupes, des duos, si l'on peut s'exprimer ainsi, de ce genre d'oiseau. Peu de Japonais ont le don d'interpréter ce sujet d'une manière aussi rapide et aussi galante : d'abord les deux becs, puis les quatre pattes ; ensuite les dos, les plumes, crac, crac, crac, — une douzaine de coups de son habile pinceau, tenu d'une main très joliment posée, — et ça y est, et d'un réussi toujours !

M. Kangourou raconte, sans y trouver à redire d'ailleurs, qu'autrefois ce talent a rendu de grands services à M. Sucre. C'est que madame Prune, paraît-il... mon Dieu, comment dire cela... et qui s'en douterait à présent, en voyant une vieille dame si dévote, si bien posée, ayant des sourcils rasés si correctement... — enfin madame Prune, paraît-il, recevait autrefois beaucoup de messieurs, — des messieurs qui venaient toujours isolément, — et cela donnait à penser... Or, quand madame Prune était occupée avec une visite, si un nouvel arrivant se présentait, son ingénieux mari, pour le faire attendre, le captiver dans l'antichambre, le retenir, s'offrait aussitôt à lui peindre quelques cigognes, dans des attitudes variées...

Voilà comment, à Nagasaki, tous les messieurs japonais d'un certain âge possèdent dans leurs collections deux ou trois de ces petits tableaux de genre, qu'ils doivent au talent si fin et si personnel de M. Sucre.

XXXIV

Dimanche 25 août.

Vers six heures du soir, pendant mon quart, la *Triomphante* quitte sa prison creusée entre les montagnes, sort du bassin. Grand tapage de manœuvre, puis nous mouillons sur rade, à notre ancienne place, au pied des collines de Diou-djen-dji. Le temps est redevenu calme, sans un nuage ; il a cette limpidité particulière aux ciels que les typhons ont balayés, transparence excessive, permettant de distinguer dans les lointains d'infimes détails qu'on n'avait encore jamais vus, comme si le grand souffle terrible avait emporté jusqu'aux plus légères brumes errantes, ne laissant partout qu'un vide profond et clair. Et, après ces pluies, les couleurs vertes des bois, des montagnes, sont devenues d'une splendeur printanière, se sont rafraîchies — comme s'avivent d'un éclat mouillé les tons d'une peinture fraîchement lavée. Les sampans et les jonques, qui depuis trois jours s'étaient tenus blottis, s'en vont vers le large ; la baie est couverte de leurs voiles blanches ; on dirait la migration, l'essor d'une peuplade d'oiseaux de mer.

A huit heures, à la nuit, la manœuvre étant terminée, je m'embarque avec Yves dans un sampan ; c'est lui qui m'entraîne cette fois et veut me ramener dans mon logis.

ÉDITION DU FIGARO

PIERRE LOTI

Madame Chrysanthème

PARIS
CALMANN LÉVY, ÉDITEUR
3, RUE AUBER, 3

1888

Couverture de l'édition originale de *Madame Chrysanthème*

Loti et son “frère Yves” avec Madame Chrysanthème

Dessin de Loti. Le temple de Taki-no-Kanon (9 août 1885)

La pagode de Pierre Loti à Rochefort. Cliché maison de Pierre Loti, Rochefort.

A terre, une bonne odeur de foin mouillé. Un clair de lune admirable, dans les chemins de la montagne. Nous montons tout droit à Diou-djen-dji, retrouver Chrysanthème, que j'ai presque un remords, sans qu'il y paraisse, d'avoir abandonnée si longtemps.

En regardant en l'air, je reconnais de loin ma maisonnette, là-haut perchée. Elle est tout ouverte, très éclairée, et on y joue de la guitare. Voici même que j'aperçois la tête d'or de mon Bouddha, entre les petits feux brillants de ses deux veilleuses suspendues. Puis Chrysanthème apparaît aussi, sous la véranda, en silhouette très nipponne, avec ses belles coques de cheveux et ses longues manches retombantes, accoudée comme pour nous attendre.

Quand j'entre, elle vient m'embrasser, d'une manière un peu hésitante, mais gentille, tandis que Oyouki, plus expansive, m'enlace à pleins bras.

Et je le revois sans déplaisir, ce logis japonais dont j'avais presque oublié l'existence, que je m'étonne de retrouver encore mien. Chrysanthème a mis dans nos vases de belles fleurs nouvelles ; comme pour une fête, elle a élargi sa coiffure, pris sa plus belle robe, allumé nos lampes. Ayant vu, de son balcon, sortir la *Triomphante*, elle espérait bien que nous allions enfin revenir et, ses préparatifs terminés, pour occuper ses heures d'attente, elle étudiait un duo de guitare avec Oyouki. Pas de questions ni de reproches. Au contraire !

— Nous avons bien compris, dit-elle ; par un temps si affreux, entreprendre une traversée si longue, en sampan sur la rade...

Elle sourit comme une petite fille qui est contente, et vraiment il faudrait être difficile pour ne pas convenir qu'elle est mignonne ce soir.

Allons, j'annonce que nous descendrons sans plus tarder faire une grande promenade dans Nagasaki ; nous emmènerons Oyouki-San, deux cousines de Chrysanthème qui se trouvent là, et d'autres petites voisines encore si cela leur fait plaisir ; nous achèterons les jouets les plus drôles ; nous mangerons toute espèce de gâteaux, nous nous amuserons beaucoup.

Comme nous arrivons bien, disent-elles en sautant de joie ; comme nous arrivons à point ! Justement il y a pèlerinage de nuit au grand temple de la *Tortue Sauteuse !* Toute la ville y sera ; tous les camarades mariés viennent de partir, toute la bande X*, Y*, Z*, Touki-San, Campanule et Jonquille, avec l'*ami d'une invraisemblable hauteur.* Et elles deux, pauvre Chrysanthème, pauvre Oyouki-San, le cœur très gros, restaient au logis, parce que nous n'étions pas là et parce que madame Prune, après son dîner, avait été prise de pâmoisons et de vapeurs...

Vite, la toilette des mousmés. Chrysanthème est déjà prête. Oyouki change de robe à la hâte, s'habille de gris souris, me prie d'arranger le nœud bouffant de sa belle ceinture —, qui est en satin noir doublé de jaune orange —, et plante, bien haut dans ses cheveux, un pompon d'argent. Nous allumons nos lanternes au bout de bâtonnets ; M. Sucre remercie pour sa fille, remercie à n'en plus finir, nous reconduit, tombe à quatre pattes sur sa porte —, et nous nous éloignons assez gaiement, dans la nuit transparente et douce.

En effet la ville, en bas, est dans une animation de grande fête. Les rues sont pleines de monde ; la foule passe, — comme un flot rieur, capricieux, lent, inégal, — mais s'écoule tout entière dans la même direction, vers un but unique. Il en sort un bourdonnement immense mais cependant léger, où dominent le rire et les formules polies que l'on échange à voix basse. Des lanternes et des lanternes... De ma vie, je n'en avais tant vu, ni de si bariolées, ni de si compliquées, de si extraordinaires.

Nous suivons, comme en dérive dans ce flot humain, comme entraînés par lui. Il y a des bandes de femmes de tous les âges, en toilette parée ; surtout des mousmés innombrables ayant dans les cheveux des piquets de fleurs ou, à la manière d'Oyouki, des pompons d'argent : petits minois chiffonnés, petits yeux bridés de chat naissant, joues rondelettes et pâlottes ballant un peu aux abords des lèvres entrouvertes. Gentilles quand même, ces petites Nipponnes, à force d'enfantillage et de sourire. Du côté des hommes, beaucoup de chapeaux *melon,* ajoutés pour plus de pompe à la longue robe nationale et complétant bien ces laideurs gaies de singes savants. Ils tiennent à la main des branches, des arbustes entiers quelquefois, d'où pendent, mêlées au feuillage, les plus bizarres de toutes les lanternes, ayant des formes de diablotins ou d'oiseaux.

A mesure que nous avançons dans la direction de ce temple, les rues deviennent plus encombrées, plus bruyantes. Il y a maintenant, tout le long des maisons, des étalages sans fin sur des tréteaux : des bonbons de toute couleur, des jouets, des branches fleuries, des bouquets, des masques. Des masques surtout ; en voici de pleines caisses, de pleines charrettes ; le plus répandu est celui qui représente le museau blême et rusé, contracté en rictus de mort, les grandes oreilles droites et les dents pointues du renard blanc consacré au dieu du riz[24]. Il y a d'autres figures symboliques de dieux ou de monstres, toutes livides, grimaçantes, convulsionnées, ayant de vrais cheveux et de vrais poils. Des gens quelconques, des enfants même, achètent ces épouvantails et se les attachent sur la figure. On vend aussi toute sorte d'instruments de musique ; beaucoup de ces trompettes en cristal dont le son est si étrange, mais d'énormes, ce soir : deux mètres de long pour le moins ; le bruit qu'elles font ne ressemble plus à rien de connu ; on croirait entendre au milieu de la foule des dindons gigantesques, gloussant pour faire peur.

Dans les amusements religieux de ce peuple, il ne nous est pas possible, à nous, de pénétrer les *dessous* pleins de mystère que les choses peuvent avoir ; nous ne pouvons pas dire où finit la plaisanterie et où la frayeur mystique commence. Ces usages, ces symboles, ces figures, tout ce que la tradition et l'atavisme ont entassé dans les cervelles japonaises, provient d'origines profondément ténébreuses pour nous ;

même les plus vieux livres ne nous l'expliqueront jamais que d'une manière superficielle et impuissante, — *parce que nous ne sommes pas les pareils de ces gens-là.* Nous passons sans bien comprendre au milieu de leur gaîté et de leur rire, qui sont au rebours des nôtres...

Chrysanthème avec Yves, Oyouki avec moi, Fraise et Zinnia, nos cousines, marchant devant nous sous notre surveillance, nous continuons de suivre la foule, nous tenant la main deux par deux de peur de nous perdre.

Tout le long des rues qui mènent à ce temple, les gens riches ont exposé dans leur maison des séries de vases et de bouquets. La forme *hangar,* qu'ont toutes les habitations de ce pays, leur espèce de devanture foraine et d'estrade, sont très favorables à ces exhibitions de choses délicates : on a laissé tout ouvert et l'on a tendu, à l'intérieur, des voiles qui masquent les profondeurs du logis ; en avant de ces draperies généralement blanches et un peu en retrait de la foule qui passe, on a correctement aligné les objets exposés, que mettent en pleine lumière des lampes suspendues. — Presque pas de fleurs dans ces bouquets ; des feuillages seulement, — les uns frêles et rares, introuvables, — les autres choisis comme à dessein parmi les plus communs, mais arrangés avec un art qui en fait quelque chose de nouveau et de distingué : de vulgaires feuilles de salade, de grands choux montés, prenant des poses artificielles exquises, dans des urnes merveilleuses. Tous les vases sont en bronze, mais le dessin en est varié à l'infini, avec la fantaisie la plus changeante ; on en voit de compliqués et de tourmentés ; d'autres, en plus grand nombre, qui sont sveltes et simples, — mais d'une simplicité si cherchée que, pour nos yeux, c'est comme une révélation d'inconnu, comme un renversement de toutes les notions acquises sur la forme...

A un tournant de rue, nous faisons la plus heureuse des rencontres : nos camarades mariés de la *Triomphante,* et les Jonquille, et les Touki-San, et les Campanule ! — Saluts, révérences entre mousmés ; manifestations réciproques de la joie de se revoir ; puis, formant une bande compacte et entraînés par la foule qui augmente encore, nous continuons de nous acheminer vers le temple.

Les rues suivent une pente ascendante (car les temples sont toujours sur des hauteurs) et, à mesure que nous montons, à la féerie des lanternes et des costumes s'en ajoute une autre, qui est lointaine, bleuâtre, vaporeuse : tout Nagasaki, avec ses pagodes, ses montagnes, ses eaux tranquilles pleines de rayons de lune, s'élevant en même temps que nous dans l'air. Lentement, pas à pas si l'on peut dire, cela surgit alentour, enveloppant d'un grand décor diaphane tous ces premiers plans où papillotent des lumières rouges et des banderoles de toutes couleurs.

Nous approchons sans doute, car voici les énormes granits religieux, les escaliers, les portiques, les monstres. Il nous faut gravir maintenant des séries de marches, portés presque par le flot des fidèles qui monte avec nous.

La cour du temple, — nous sommes arrivés.

C'est le dernier et le plus étonnant tableau de la féerie de ce soir, — tableau lumineux et profond, qui a des lointains fantastiques éclairés par la lune et au-dessus duquel des arbres gigantesques, les cryptomérias[25] sacrés, étendent comme un dôme leurs branches noires.

Nous voilà assis tous, avec nos mousmés, sous le tendelet enguirlandé de fleurs d'une des nombreuses petites maisons de thé que l'on a improvisées dans cette cour. Nous sommes sur une terrasse, en haut des grands escaliers par où la foule continue d'affluer ; nous sommes aux pieds d'un portique qui se dresse tout d'une pièce dans le ciel de la nuit avec une massive rigidité de colosse ; aux pieds aussi d'un monstre qui abaisse vers nous le regard de ses gros yeux de pierre, sa grimace méchante et son rire.

Ce portique et ce monstre sont les deux grandes choses écrasantes du premier plan, dans le décor invraisemblable de cette fête ; ils se découpent avec une hardiesse un peu vertigineuse sur tout ce bleu vague et cendré là-bas, qui est le lointain, l'air, le vide ; derrière eux, Nagasaki se déroule, à vol d'oiseau, très faiblement dessiné dans de l'obscurité transparente avec des myriades de petits feux de couleurs ; puis les montagnes esquissent sur le ciel plein d'étoiles leurs dentelures exagérées : — bleuâtre sur bleuâtre, diaphane sur diaphane. Et un coin de la rade apparaît aussi, très haut, très indécis, très pâle, ayant l'air d'un lac monté dans les nuages, les eaux ne se devinant qu'à un reflet de lumière lunaire qui les fait resplendir comme une nappe argentée.

Autour de nous gloussent toujours les longues trompettes de cristal. Comme les ombres de fantasmagorie, passent et repassent des groupes de gens polis et frivoles ; des bandes enfantines de ces mousmés à petits yeux, dont le sourire est d'une insignifiance si fraîche et dont les beaux chignons luisent, piqués de fleurs en argent. Et des hommes très laids promènent sans cesse, au bout de branches, leurs lanternes en forme d'oiseaux, de dieux, d'insectes.

Derrière nous, le temple, tout illuminé, tout ouvert ; les bonzes assis en théories immobiles, dans le sanctuaire étincelant d'or qu'habitent les divinités, les chimères et les symboles. La foule, avec son bourdonnement monotone de rires et de prières, se presse autour, lançant à pleine main ses offrandes ; avec un bruit continuel, le métal monnayé roule à terre, dans l'enceinte réservée aux prêtres où les nattes blanches disparaissent complètement sous les pièces de toutes les grandeurs, amoncelées comme après un déluge d'argent et de bronze.

Nous sommes là, nous, très dépaysés dans cette fête, regardant, riant puisqu'il faut rire ; disant des choses obscures et niaises, dans une langue insuffisamment apprise, que ce soir, troublés par je ne sais quoi, nous n'entendons même plus. Il fait très chaud sous notre tendelet, qu'agite pourtant une brise de nuit ; nous absorbons, dans des tasses, de petits sorbets drôles ressemblant à du givre parfumé, ou bien ayant un goût de fleurs dans de la neige. Nos mousmés se sont fait servir, à pleins bols, des haricots au sucre mêlés à de la grêle[26], — à de vrais grêlons comme on en ramasserait après une giboulée de mars.

Glou !... glou !... glou !... font lentement les trompettes de cristal, avec une sonorité qui semble puissante, mais cependant pénible et comme étouffée dans de l'eau. Partout tintent des crécelles, bruissent durement des claquebois[27]. Nous avons l'impression d'être enlevés nous aussi dans l'immense élan de cette gaîté incompréhensible, à laquelle se mêle, dans une proportion que nous ne savons même pas apprécier, quelque chose de mystique, je ne sais quoi de puéril et de macabre en même temps. Une sorte d'horreur religieuse est répandue par ces idoles, que nous devinons derrière nous dans le temple, par ces prières confusément entendues ; — surtout par ces têtes de renard blanc, en bois laqué, cachant, de temps à autre, les visages humains qui passent, — par tous ces affreux masques blêmes...

Dans les jardins et les dépendances de ce temple se sont installés d'inimaginables saltimbanques dont les banderoles noires, bariolées de lettres blanches, au bout de hampes gigantesques, flottent au vent comme des ornements de catafalque. Nous nous y rendons en troupe, quand nos mousmés ont achevé leurs dévotions et jeté leurs offrandes.

Dans une baraque de cette foire un homme est seul en scène, étendu à plat dos sur une table. De son ventre surgissent des marionnettes de grandeur presque humaine avec d'horribles masques louches ; elles parlent, gesticulent —, puis s'effondrent comme des loques vides; remontent de nouveau d'une poussée brusque, comme mues par un ressort, changent de costume, changent de figure, se démènent dans une frénésie continuelle. A un moment donné, il en paraît jusqu'à trois, quatre à la fois : ce sont les quatre membres de l'homme couché, ses deux jambes en l'air et ses deux bras, habillés chacun d'une robe, coiffés d'une perruque et surmontés d'un masque. Des scènes, des batailles à grands coups de sabre se passent entre ces fantômes.

Il y a surtout une marionnette de vieille femme qui fait peur ; chaque fois qu'elle reparaît avec sa tête plate au rire de cadavre, les lampes se baissent ; la musique à l'orchestre devient une sorte de gémissement de flûtes très sinistre, avec un trémolo de claquebois qui fait songer à des os entrechoqués. — Évidemment elle joue dans la pièce un très vilain rôle, cette personne; elle doit être une vieille goule malfaisante et affamée. Ce qu'elle a de plus effrayant, c'est son ombre, toujours projetée avec une netteté voulue sur un écran blanc ; par un procédé qui ne s'explique pas, cette ombre, qui suit tous ses mouvements comme une ombre véritable, est celle d'un loup. — A un moment donné, la vieille se retourne, présente de côté son nez camus pour accepter un bol de riz qu'on lui offre; alors, sur l'écran, on voit le profil du loup s'allonger, avec ses deux oreilles droites, son museau, ses babines, ses dents, sa langue qui sort. L'orchestre, en sourdine, grince, gémit, tremblote — puis éclate en cris funèbres comme un concert de hiboux; c'est qu'à présent la vieille mange, et l'ombre du loup mange aussi, remue ses mâchoires, grignote une autre ombre... très reconnaissable : un bras de petit enfant.

Nous allons voir ensuite la *grande salamandre*[28] du Japon, — une bête rare en ce pays et inconnue ailleurs sur la terre, grosse masse froide, lente et endormie, qui semble un *essai* antédiluvien, resté par oubli dans les eaux intérieures de ces archipels.

Après, l'éléphant savant, dont nos mousmés ont peur ; puis les équilibristes, la ménagerie...

Il est une heure du matin quand nous sommes de retour chez nous, à Diou-djen-dji.

D'abord, nous couchons Yves dans sa petite chambre en papier, qu'il a déjà habitée une nuit. Puis nous nous couchons nous-mêmes, après les préparatifs de rigueur, la petite pipe fumée, et le *pan ! pan ! pan ! pan !* sur le rebord de la boîte.

Mais voici qu'en dormant Yves se démène, se trémousse, envoie des coups de pied dans la cloison, fait un tapage affreux.

Qu'est-ce qu'il peut bien avoir !... Moi, j'imagine qu'il rêve de la vieille femme à ombre de loup. — L'étonnement se peint sur la figure de Chrysanthème, qui s'est dressée sur son coude pour écouter...

Tout à coup, un trait de lumière ; elle a compris ce qui le tourmente :

— *Ka !* (Les moustiques !) dit-elle.

Et, pour mieux me faire saisir de quelle bête elle veut parler, elle me pince au bras, très fort, du bout de ses petits ongles pointus, tout en imitant, avec un jeu de figure impayable, la grimace de quelqu'un qui se sentirait piqué...

— Oh ! mais, je trouve cette mimique excessive et inutile, Chrysanthème ! — Je connaissais le mot *Ka*, j'avais parfaitement compris, je t'assure...

C'est fait si drôlement et si vite, avec une moue si réussie, que je n'ai, dans le fond, nulle idée de me fâcher, — cependant j'en porterai demain une marque bleue, c'est bien certain.

Voyons, il faut nous lever pour prêter secours à Yves, qui ne peut pas continuer à tambouriner de cette manière. Allons regarder, avec une lanterne, ce qu'il a, ce qui lui arrive.

Ce sont bien les moustiques en effet. Ils volent en nuage autour de lui, tous ceux de la maison et tous ceux des jardins, assemblés et bourdonnants. Chrysanthème indignée en brûle plusieurs à la flamme de sa lanterne, m'en montre d'autres : « Hou ! » partout posés, sur le papier blanc du mur.

Lui dort toujours, après la fatigue de la journée, mais d'un sommeil agité, cela se comprend. Et Chrysanthème le secoue, pour l'emmener auprès de nous, sous notre moustiquaire bleue.

Il se laisse faire, après quelques cérémonies, se lève, comme un grand enfant mal éveillé, pour nous suivre, — et moi je ne trouve rien à redire, en somme, à ce couchage à trois : c'est si peu un lit, ce que nous partagerons là, et nous y dormirons tout habillés, comme toujours, suivant l'usage nippon. En voyage, en chemin de fer, est-ce que les dames les plus recommandables ne s'étendent pas ainsi, sans penser à mal, auprès de messieurs quelconques ?

Seulement j'ai placé le petit chevalet à nuque de Chrysanthème au centre de la tente de gaze, entre nos deux oreillers à nous, pour observer, pour voir.

Elle alors, très digne, sans rien dire, comme rectifiant une erreur d'étiquette que j'aurais commise par mégarde, l'enlève et met à la place mon tambour en peau de couleuvre : je serai donc au milieu les séparant. C'est plus correct, en effet. Oh ! c'est décidément très bien —, et Chrysanthème est une personne de beaucoup de tenue...

... En rentrant à bord le lendemain matin, au clair soleil de sept heures, nous cheminons dans les sentiers pleins de rosée, avec une bande de petites mousmés de six ou huit ans, absolument comiques, qui se rendent à l'école.

Les cigales, cela va sans dire, font autour de nous leur joli bruit sonore. La montagne sent bon. Fraîcheur de l'air, fraîcheur de la lumière, fraîcheur enfantine de ces petites filles en longues robes et en beaux chignons apprêtés. Fraîcheur de ces fleurs et de ces herbes sur lesquelles nous marchons et qui sont semées de gouttelettes d'eau... Comme c'est éternellement joli, même au Japon, les matins de la campagne et les matins de la vie humaine...

D'ailleurs je reconnais le charme des petits enfants japonais ; il y en a d'adorables. — Mais, ce charme qu'ils ont, comment passe-t-il si vite pour devenir la grimace vieillotte, la laideur souriante, l'air singe ?...

XXXV

Le jardinet de madame Renoncule, ma belle-mère, est un des sites les plus mélancoliques, sans contredit, qu'il m'ait été donné de rencontrer dans mes courses par le monde.

Oh! les heures lentes, les heures énervantes et grises, passées à dire des choses fades, confuses, en mangeant, dans de tout petits pots, des confitures poivrées, sous la véranda qui reçoit de ce jardinet une lumière affaiblie! En pleine ville, encaissé entre des murs, ce parc de quatre mètres carrés, avec des petits lacs, des petites montagnes, des petits rochers; et une teinte de vétusté verdâtre, une moisissure barbue recouvrant tout cela qui jamais n'a vu le soleil.

Cependant un incontestable sentiment de la nature a présidé à cette réduction microscopique d'un site sauvage. Les rochers sont bien posés. Les cèdres nains, pas plus hauts que des choux, étendent sur les vallées leurs branches noueuses avec des attitudes de géants fatigués par les siècles, — et leur air *grand arbre* déroute la vue, fausse la perspective. Du fond sombre de l'appartement, quand on aperçoit, dans un certain recul, ce paysage relativement éclairé, on en vient presque à se demander s'il est factice ou si, plutôt, on n'est pas soi-même le jouet de quelque illusion maladive, si ce n'est pas de la vraie campagne aperçue avec des yeux dérangés, plus au point, — ou bien regardée par le mauvais bout d'une lorgnette.

Pour qui a quelques notions de japonerie, l'intérieur de ma belle-mère révèle à lui seul une personne raffinée : nudité complète ; à peine deux ou trois petits paravents posés çà et là, — une théière, un vase où trempent des lotus ; rien de plus. Des boiseries sans aucune peinture ni vernis, mais ajourées avec une capricieuse mignardise, très finement menuisées, et dont on entretient la blancheur de sapin neuf par de fréquents lavages au savon. Les piliers de bois qui soutiennent la charpente sont variés avec la plus spirituelle fantaisie : les uns ont des formes géométriques d'une précision parfaite ; les autres se tordent artificiellement comme de vieux troncs d'arbres enlacés de lianes. Il y a partout des petites cachettes, des petites niches, des petits placards, dissimulés de la manière la plus ingénieuse et la plus inattendue sous l'uniformité immaculée des panneaux de papier blanc.

Je souris en moi-même au souvenir de certains salons dits *japonais* encombrés de bibelots et tendus de grossières broderies d'or sur satin d'exportation, que j'ai vus chez les belles Parisiennes. Je leur conseille, à ces personnes, de venir regarder comment sont ici les maisons des gens de goût, — de venir visiter les solitudes blanches des palais de Yeddo. — En France, on a des objets d'art pour en jouir ; ici, pour les enfermer, bien étiquetés, dans une sorte d'appartement mystérieux, souterrain, grillé en fer, qu'on appelle *godoun.* En de rares occasions seulement, pour faire honneur à quelque visiteur de distinction, on ouvre ce lieu impénétrable. — Une propreté minutieuse, excessive ; des nattes blanches, du bois blanc ; une simplicité apparente extrême dans l'ensemble, et une incroyable préciosité dans les détails infiniment petits : telle est la manière japonaise de comprendre le luxe intérieur.

Ma belle-mère me paraît vraiment une femme fort bien. N'étaient les sentiments spleeniques insurmontables que son jardinet m'inspire, je la visiterais souvent. Rien de commun avec les mamans de Jonquille, de Campanule, de Touki ; infiniment mieux que tout cela ; et puis, des restes de charmes ; d'assez belles allures. — Son passé m'intrigue et cependant, vu ma qualité de gendre, la bienséance m'empêche de pousser trop loin mes questions.

D'aucuns prétendent que c'est une ancienne guécha jadis renommée à Yeddo, puis déchue de la faveur du public élégant, pour avoir eu l'étourderie de devenir mère. Cela expliquerait bien le talent de sa fille sur la guitare : elle lui aurait inculqué elle-même le doigté et la manière du Conservatoire[29].

Depuis Chrysanthème (l'aînée et la première cause de cette déchéance), ma belle-mère, nature expansive bien que distinguée, est retombée sept fois encore dans la même erreur : deux petites belles-sœurs cadettes, mademoiselle La Neige * et mademoiselle La Lune ** ; cinq petits beaux-frères puînés, Cerisier, Pigeon, Liseron, Or et Bambou.

Quatre ans, ce petit Bambou ; un bébé jaune, tout rond avec de beaux yeux brillants ; câlin et joyeux, endormi tout de suite dès qu'il a fini de rire. De toute ma famille nipponne, c'est ce Bambou que j'aime le plus...

* En japonais : *Oyouki-San* (comme la fille de madame Prune).
** En japonais : *Tsouki-San.*

XXXVI

Mardi 27 août.

Nous avons passé la journée à errer dans des quartiers poussiéreux et sombres, cherchant des choses antiques chez des bric-à-brac, Yves, Chrysanthème, Oyouki et moi, traînés par quatre djins accélérés.

Vers le coucher du soleil, Chrysanthème, qui m'ennuie davantage depuis ce matin et qui s'en est sans doute aperçue, fait une moue très longue, se dit malade et demande la permission d'aller, pour ce soir, coucher chez madame Renoncule, sa mère.

J'accorde cela de tout mon cœur ; qu'elle s'en aille, cette mousmé ! Oyouki préviendra ses parents, qui fermeront notre chambre ; nous passerons la soirée à courir à notre fantaisie, Yves et moi, sans traîner aucune mousmé à nos trousses, et, après, nous rentrerons nous coucher chez nous, sur la *Triomphante*, sans avoir la peine de grimper là-haut.

Nous essayons d'abord d'aller dîner tous deux dans quelque maison de thé élégante. — Impossible, il n'y a de place nulle part ; tous les appartements de papier, tous les compartiments à trucs et à glissières, tous les recoins de jardinets, sont remplis de Japonais et de Japonaises mangeant d'incroyables petites choses ;

beaucoup de jeunes dandies en partie fine; de la musique en cabinet particulier, des danseuses.

C'est qu'aujourd'hui est le troisième et dernier jour de ce grand pèlerinage au temple de la *Tortue Sauteuse* dont nous avons vu le début avant-hier, — et alors tout Nagasaki s'amuse.

A la maison de thé des *Papillons Indescriptibles*, qui est aussi bondée, mais où nous sommes avantageusement connus, on imagine de jeter un plancher volant par-dessus le petit lac, par-dessus le bassin à poissons rouges, et c'est là qu'on nous sert, dans la fraîcheur agréable du jet d'eau qui continue de bruire sous nos pieds.

Après dîner, nous suivons les fidèles et nous remontons au temple.

Là-haut, même féerie, mêmes masques, même musique. Comme avant-hier, nous nous asseyons sous un tendelet quelconque pour boire des petits sorbets drôles, parfumés aux fleurs. Mais nous sommes seuls ce soir, et l'absence de cette bande de mousmés, aux minois familiers, qui étaient comme un trait d'union entre ce peuple en fête et nous-mêmes, nous sépare, nous isole davantage de toute cette débauche d'étrangetés au milieu de laquelle nous nous sentons comme perdus. Il y a toujours là-bas l'immense décor bleuâtre : Nagasaki éclairé par la lune, avec la nappe argentée des eaux qui semble une vision vaporeuse suspendue dans le vide. Et derrière nous, le grand temple ouvert où les bonzes officient au bruit des grelots sacrés et des claquebois, — pareils à de petites marionnettes, vus d'où nous sommes, — les uns accroupis en rang comme de tranquilles momies, les autres exécutant des marches rythmées devant ce fond tout en or où se tiennent les dieux. Nous ne rions pas, ce soir, et nous parlons peu, plus frappés que la première nuit ; nous regardons seulement, cherchant à comprendre...

Tout à coup, Yves se retournant, dit :

— Frère !... votre mousmé ! !...

En effet, elle est là derrière lui, Chrysanthème,

presque par terre, cachée entre les pattes d'une grosse bête en granit moitié tigre, moitié chien, contre laquelle s'appuie notre tente fragile.

— Comme un petit chat, elle m'a tiré avec ses ongles, par mon bas de pantalon, dit Yves très saisi, — oh ! mais tout à fait comme un petit chat !

Elle se tient courbée, prosternée en révérence très humble ; elle sourit timidement dans la crainte d'être mal reçue, et la tête de mon petit beau-frère Bambou se dresse, souriante aussi, au-dessus de la sienne. Elle l'a apporté avec elle, à califourchon sur ses reins, ce petit *mousko**, toujours impayable, lui, avec sa tonsure, sa longue robe et les grosses coques de sa ceinture de soie. Et ils nous regardent tous deux, inquiets de savoir comment nous allons prendre leur équipée.

Mon Dieu, je n'ai nulle envie de leur faire mauvais accueil ; au contraire, leur apparition m'amuse. Je trouve même très gentil de la part de Chrysanthème cette façon d'être revenue et cette idée d'avoir apporté Bambou-San à la fête, bien que ce soit assez *peuple*, à vrai dire, de se l'être attaché sur le dos, comme font les pauvresses nipponnes pour leurs petits...

Allons, qu'elle s'asseye entre Yves et moi ; qu'on lui serve de ces haricots à la grêle qu'elle aime tant. Puis, prenons sur nos genoux le beau petit *mousko* et qu'il mange, à sa discrétion, des bonbons et du sucre.

La soirée finie, quand il s'agit de redescendre, de nous en aller, Chrysanthème replace son petit Bambou à cheval sur son dos et se met en marche, toute fléchie en avant sous ce poids, toute courbée, traînant péniblement ses socques de Cendrillon sur les marches de granit et les dalles... Oui, bien *peuple*, en effet, cette allure, mais dans l'acception la meilleure de ce

* *Mousko* signifie petit garçon. C'est le masculin de *mousmé*. On dit même en général *mousko-san* (monsieur le mousko), par excessive politesse.

mot *peuple ;* rien là-dedans qui me déplaise ; je trouve même que Chrysanthème, dans son affection pour Bambou-San, est simple et attachante.

On ne peut d'ailleurs refuser cela aux Japonais : l'amour des petits enfants, et un talent pour les amuser, les faire rire, leur inventer des joujoux comiques, les rendre joyeux au début de la vie ; une vraie spécialité aussi pour les coiffer, les attifer, tirer de leur personne l'aspect le plus divertissant possible. C'est la seule chose que j'aime dans ce pays : les bébés et la manière dont on sait les comprendre...

En route, nous rencontrons les amis mariés de la *Triomphante* qui plaisantent à mes dépens, très surpris de me voir avec ce *mousko,* demandant :

— C'est déjà votre fils ?

Dans la ville en bas, nous faisons mine de dire adieu à Chrysanthème, au tournant de la rue qui conduit chez sa mère. Elle sourit, indécise, se dit guérie et demande à retourner là-haut dans notre maison. — Cela n'entrait pas dans mes projets, je l'avoue... Cependant, j'aurais mauvaise grâce à refuser. Soit ! Allons reporter le *mousko* à sa maman, puis nous commencerons, à la lueur de quelque nouvelle lanterne achetée chez madame Très-Propre, l'ascension pénible.

Mais voici bien une autre aventure : ce petit Bambou, lui aussi, qui prétend venir ! Absolument, il veut que nous l'emmenions avec nous. Cela n'a pas le sens commun, par exemple, c'est tout à fait inadmissible !...

Pourtant... il ne faudrait pas le faire pleurer, un soir de fête, ce mousko... Voyons, nous allons envoyer prévenir madame Renoncule, pour qu'elle ne s'inquiète pas de lui, et, comme il n'y aura plus personne tout à l'heure dans les sentiers de Diou-djen-dji pour se moquer de nous, à tour de rôle nous le porterons sur notre dos, Yves et moi, tant que durera la grimpade noire...

Et moi qui ne voulais pas ce soir remonter cette route en traînant une mousmé par la main, voici que, pour surcroît, je porte un mousko sur mon dos... Quelle ironique destinée !

Chez nous, comme je l'avais prévu, tout est clos, verrouillé ; on ne nous attend pas, et il faut faire tapage à la porte. Chrysanthème se met de toute sa force à héler :

— *Ho ! Oumé-San..an..an..an !* (En français : Ohé ! madame Pru..u..u..u..ne !)

Je ne connaissais pas ces intonations-là à sa petite voix ; son appel traînant, dans la sonorité obscure de minuit, a un accent si étranger, si inattendu, si bizarre, qu'il me donne une impression de lointain et extrême exil...

Enfin madame Prune apparaît pour nous ouvrir, mal éveillée, très émue, coiffée de nuit dans un opulent turban en coton sur le fond bleu duquel folâtrent quelques cigognes blanches. Tenant du bout des doigts, avec une grâce épeurée, la longue tige de sa lanterne à fleurs, elle nous dévisage l'un après l'autre pour vérifier nos identités — et elle n'en revient pas, pauvre dame, de ce mousko que je rapporte...

XXXVII

D'abord c'était la guitare de Chrysanthème que j'écoutais volontiers ; à présent, c'est son chant que je commence à aimer aussi.

Rien de la manière théâtrale ni de la grosse voix contrefaite des virtuoses ; au contraire, ses notes, toujours très hautes, sont douces, frêles et plaintives.

Souvent elle enseigne à Oyouki quelque lente et vague romance qu'elle a composée ou qui lui revient en tête. Alors elles m'étonnent toutes deux, cherchant sur leurs guitares accordées des accompagnements en parties et se reprenant chaque fois qu'un son n'est pas rigoureusement juste à leur oreille, sans s'embrouiller jamais dans ces harmonies dissonantes, étranges, toujours tristes.

Moi, le plus souvent, tandis que se fait leur musique, j'écris, sous la véranda, devant le panorama superbe. J'écris par terre, assis sur une natte et m'appuyant sur un petit pupitre japonais orné de sauterelles en relief ; mon encre est chinoise ; mon encrier, pareil à celui de mon propriétaire, est en jade, avec des crapauds mignons et des crapoussins[30] sculptés sur le rebord. Et j'écris mes mémoires, en somme, — tout à fait comme en bas M. Sucre !... Par moments je me figure que je lui ressemble, et cela m'est bien désagréable...

Mes mémoires... qui ne se composent que de détails saugrenus ; de minutieuses notations de couleurs, de formes, de senteurs, de bruits.

Il est vrai, tout un imbroglio de roman semble poindre à mon horizon monotone ; toute une intrigue paraît vouloir se nouer au milieu de ce petit monde de mousmés et de cigales : Chrysanthème amoureuse d'Yves ; Yves de Chrysanthème ; Oyouki, de moi ; moi, de personne... Il y aurait même là matière à un gros drame fratricide, si nous étions dans un autre pays que celui-ci ; mais nous sommes au Japon et, vu l'influence de ce milieu qui atténue, rapetisse, drolatise, il n'en résultera rien du tout.

XXXVIII

Il y a, dans ce Nagasaki, un instant de la journée qui est comique entre tous : c'est le soir, vers cinq ou six heures. A ce moment-là, les gens sont tout nus, les enfants, les jeunes, les vieux, les vieilles, chacun assis dans une jarre, prenant son bain. Cela se passe n'importe où, sans le moindre voile, dans les jardins, dans les cours, dans les boutiques, voire même sur les portes, pour plus de facilité à causer entre voisins d'un côté de la rue à l'autre. On reçoit dans cette situation ; sans hésiter on sort de sa cuve, tenant à la main sa petite serviette invariablement bleue, pour faire asseoir le visiteur qui se présente et lui donner la réplique enjouée.

Cependant elles ne gagnent pas, les mousmés (ni les vieilles dames), à se produire dans cette tenue. Une Japonaise, dépourvue de sa longue robe et de sa large ceinture aux coques apprêtées, n'est plus qu'un être minuscule et jaune, aux jambes torses, à la gorge grêle et piriforme ; n'a plus rien de son petit charme artificiel, qui s'en est allé complètement avec le costume.

Il y a une heure à la fois joyeuse et mélancolique : c'est un peu plus tard au crépuscule, quand le ciel semble un grand voile jaune dans lequel montent les découpures des montagnes et des hautes pagodes.

C'est l'heure où, en bas, dans le dédale des petites rues grisâtres, les lampes sacrées commencent à briller, au fond des maisons toujours ouvertes, devant les autels d'ancêtres et les Bouddhas familiers, — tandis qu'au-dehors tout s'obscurcit, et que les mille dentelures des vieux toits se dessinent en festons noirs sur ce ciel d'or clair. A ce moment-là passe sur ce Japon rieur une impression de sombre, d'étrange, d'antique, de sauvage, de je ne sais quoi d'indicible, qui est triste. Et la gaîté, alors, la seule gaîté qui reste, c'est cette peuplade d'enfants, de petits mouskos et de petites mousmés, qui se répand comme un flot dans les rues pleines d'ombre, sortant des ateliers et des écoles. Sur la nuance foncée de toutes ces constructions de bois, paraissent plus éclatantes les petites robes bleues ou rouges, drôlement bigarrées, drôlement troussées, et les beaux nœuds des ceintures, et les fleurs, les pompons d'argent ou d'or piqués dans ces chignons de bébés.

Elles se poursuivent et s'amusent, en agitant leurs grandes manches pagodes, les toutes petites mousmés de dix ans, de cinq ans, ou même de moins encore, ayant déjà de hautes coiffures et d'imposantes coques de cheveux comme les dames. Oh ! les amours de poupées impayables qui, à cette heure crépusculaire, gambadent, en robes très longues, soufflant dans des trompettes de cristal ou courant à toutes jambes pour lancer des cerfs-volants inouïs... Tout ce petit monde nippon, baroque par naissance et appelé à le devenir encore plus en prenant des années, débute dans la vie par des amusements singuliers et des cris bizarres ; ses jouets sont un peu macabres et feraient peur aux enfants d'un autre pays ; ses cerfs-volants ont de gros yeux louches et des tournures de vampires...

Et chaque soir, dans les petites rues sombres, déborde cette gaîté fraîche, enfantine, mais fantasque à l'excès. — On n'imagine pas tout ce qu'il y a en l'air, parfois, d'incroyables choses qui voltigent au vent...

XXXIX

Toujours des vêtements de couleur sombre, cette petite Chrysanthème, ce qui est ici un signe de distinction réelle. Tandis que ses amies, Oyouki-San, madame Touki et les autres, portent volontiers des étoffes bariolées, se plantent dans le chignon des pompons éclatants, elle s'habille de bleu-marine ou de gris neutre, s'attache à la taille de larges ceintures noires brochées de nuances discrètes, et ne met jamais rien dans ses cheveux que des épingles d'écaille blonde. Si elle était de race noble, elle porterait au milieu du dos un petit cercle blanc brodé sur sa robe, apposé comme une estampille, avec, au milieu, un dessin quelconque, — une feuille d'arbre en général : et ce seraient là ses *armes*. Vraiment il ne lui manque que ce petit blason dorsal pour avoir la tenue d'une femme très comme il faut.

(Au Japon, les belles robes claires, nuancées en nuages, brodées de chimères d'argent ou d'or, sont réservées pour les grandes dames dans leur intérieur, en certaines occasions d'apparat ; — ou alors pour le théâtre, pour les danseuses, pour les filles.)

Comme toutes les Japonaises, Chrysanthème serre une quantité de choses dans l'intérieur de ses longues manches, où des poches sont dissimulées.

Elle y met des lettres, des notes quelconques écrites sur des feuilles fines en pâte de riz, des prières-amulettes rédigées par des bonzes, et surtout une grande quantité de carrés en papier soyeux qu'elle emploie aux usages les plus imprévus : essuyer une tasse à thé, tenir la tige mouillée d'une fleur, ou moucher son petit nez drôle quand l'occasion s'en présente. (Après l'opération, elle froisse tout de suite le morceau qui a servi, le roule en boulette et le jette par la fenêtre avec horreur...)

Les personnes les plus huppées se mouchent de cette manière au Japon.

XL

2 septembre.

Le hasard nous a procuré une amitié singulière et rare, celle des chefs bonzes de ce temple de la *Tortue Sauteuse* où l'on célébrait, le mois dernier, un si étonnant pèlerinage.

Les abords de ce lieu sont aussi solitaires à présent qu'ils étaient peuplés les soirs de cette fête ; et, en plein jour, on est surpris de la vétusté morte de toutes ces choses religieuses qui, la nuit, avaient semblé vivre. Personne dans ces escaliers de granit usés par le temps ; personne sous ces grands portiques somptueux dont la poussière a terni les couleurs et les ors. Pour arriver, il faut franchir plusieurs cours désertes étagées sur le flanc de la montagne, plusieurs portes solennelles, et des marches et des marches, en s'élevant toujours au-dessus de la ville et des bruits humains, dans une région sacrée remplie d'innombrables tombeaux. Sur toutes les dalles, sur toutes les murailles, du lichen et des pariétaires ; la teinte grise des choses très vieilles, répandue partout comme une couche de cendre.

Dans un premier temple latéral, trône un Bouddha géant assis dans son lotus, — idole dorée de quinze à vingt mètres de haut, montée sur un énorme socle de bronze.

Enfin le dernier portique se dresse, avec les deux

colosses traditionnels, gardiens du saint parvis, qui se tiennent debout, l'un à droite, l'autre à gauche, enfermés comme des bêtes fauves, chacun dans une cage grillée de fer. Ils ont l'attitude furieuse, le poing levé pour frapper, la figure ricanante et atroce. Leurs corps sont criblés de boulettes en papier mâché, qu'on leur a lancées à travers les barreaux et qui se sont collées sur leurs membres monstrueux comme une lèpre blanche, une manière qu'ont les fidèles de leur faire parvenir, pour les apaiser, des prières écrites sur feuillets délicats par des bonzes pieux. On passe entre ces épouvantails et on pénètre dans la dernière cour. L'habitation de nos amis est à main droite, la grande salle de la pagode est en face.

Dans cette cour dallée, des lampadaires de bronze, hauts comme des tourelles. Des cycas séculaires, aux fraîches touffes de plumes vertes, dont les tiges multiples sont disposées avec une symétrie lourde, comme des branches de massifs candélabres. Le temple, entièrement ouvert sur tout sa façade, est profond, obscur, avec des lointains d'ors atténués qui fuient en s'assombrissant. Dans la partie la plus reculée se tiennent les idoles assises, dont on aperçoit vaguement, du dehors, les poses recueillies et les mains jointes; en avant sont les autels, chargés de merveilleux vases de métal, d'où s'élancent des gerbes sveltes de lotus d'argent ou d'or. On sent dès l'entrée l'odeur suave des baguettes de parfum que les prêtres brûlent constamment devant les dieux.

Chez nos amis les bonzes, — à main droite en arrivant, — il est toujours compliqué de se faire introduire.

Un monstre de la famille des poissons, mais ayant des griffes et des cornes, est suspendu au-dessus de leur porte par des chaînes de fer; au moindre souffle de brise, il se balance en grinçant. On passe dessous; on entre dans une première salle haute, immense, à peine éclairée, où brillent, dans les coins, des idoles dorées, des cloches, des choses religieuses incompréhensibles.

Des espèces de petits clercs, d'enfants de chœur, s'avancent peu accueillants, pour demander ce que l'on veut.

— *Matsou-San!! Donata-San!!* répètent-ils, très étonnés, quand on leur a expliqué auprès de qui l'on veut être introduit. — Oh ! non, il n'y a pas moyen de les voir : ils reposent, — ou bien, ils sont en contemplation. *Orimas! Orimas!* disent-ils, en joignant les mains et en esquissant des génuflexions pour mieux se faire comprendre. (Ils sont en prières ! en profondes prières !)

On insiste, on parle plus fort ; on se déchausse comme des gens bien résolus à entrer quand même.

A la fin ils arrivent, Matsou-San et Donata-San, de là-bas, des profondeurs tranquilles de la bonzerie. Ils sont vêtus de gaze noire, et leur tête est rasée. Souriants, aimables, se confondant en excuses, ils vous tendent la main et on les suit, pieds nus comme eux, jusqu'au fond de leur mystérieuse résidence, à travers des séries d'appartements vides tapissés de nattes d'une incomparable blancheur. Les salles qui se succèdent ne sont séparées les unes des autres que par des stores en bambou d'une finesse exquise, relevés au moyen de glands et de torsades en soie rouge.

Toute la construction intérieure est du même bois couleur beurre frais, menuisé avec une extrême précision, sans le moindre ornement, sans la moindre sculpture ; tout semble neuf et vierge, comme n'ayant jamais subi aucun contact de main humaine. De loin en loin, dans cette nudité voulue, un petit escabeau précieux, incrusté merveilleusement, supporte un vieux magot de bronze ou un vase de fleurs ; aux murs pendent quelques esquisses de maître jetées vaguement à l'encre de Chine, sur des bandes de papier gris très correctement coupées, mais qu'aucune baguette n'encadre ; rien de plus ; pas de sièges, pas de coussins, pas de meubles. C'est le comble de la simplicité cherchée, de l'élégance faite avec du néant, de la propreté immaculée et invraisemblable.

Et tandis qu'on est là, cheminant à la suite de ces bonzes, dans ces enfilades de salles désertes, on se dit qu'il y a beaucoup trop de bibelots chez nous en France ; on prend en grippe soudaine la profusion, l'encombrement.

L'endroit où s'arrête cette promenade silencieuse de gens déchaussés, l'endroit où l'on s'assied, bien au frais dans la pénombre, est une véranda intérieure ouvrant sur un site artificiel : on dirait le fond d'un puits ; c'est un jardinet grand comme un trou d'oubliette, surplombé de partout par l'écrasante montagne, ne recevant d'en haut qu'une demi-clarté de rêve. Et cela joue quand même le grand ravin sauvage ; on y voit des cavernes, des rochers abrupts, un torrent, une cascade et des îles. Les arbres, rendus nains par ce procédé japonais que nous ne connaissons pas[31], ont de toutes petites feuilles à leurs branches noueuses et caduques. Une teinte générale de vieillesse verdâtre harmonise cet ensemble, qui est assurément centenaire.

Des familles de poissons rouges circulent là dans l'eau fraîche, et des petites tortues (*sauteuses* probablement) dorment sur les îlots de granit qui sont d'une nuance pareille à leur carapace grise.

Il y a même des libellules bleues qui se risquent à descendre, on ne sait d'où, et se posent avec de légers tremblements d'ailes sur les nénufars en miniature.

Nos amis bonzes, malgré une certaine onction ecclésiastique, rient volontiers, d'un rire très bon enfant : dodus, joufflus, tondus, ils ne s'effarouchent de rien et aiment assez nos liqueurs françaises.

Nous causons de choses et d'autres. Au bruit tranquille de leur petite cascade, je risque devant eux des phrases d'un japonais érudit, j'essaie des temps de verbe à effet : des *désidératifs*, des *concessifs*, des *hypothétiques en ba*[32]. Tout en devisant, ils expédient les affaires de l'église, des ordres d'offices, cachetés de sceaux compliqués, pour des pagodes inférieures situées alentour ; ou bien des petites prières curatives, tracées au pinceau, pour être mangées en boulettes par des malades éloignés. De leurs mains blanches et potelées, ils jouent de l'éventail comme des femmes, et, quand nous avons goûté à différents breuvages indigènes aux essences de fleurs, ils font apporter pour finir un flacon de *Bénédictine* ou de *Chartreuse;* ils apprécient ces liqueurs, composées par des collègues d'Occident.

A bord, quand ils viennent nous rendre nos visites, ils ne dédaignent pas d'assujettir leurs grosses lunettes rondes sur leurs petits nez plats, pour regarder les dessins profanes de nos journaux illustrés, *la Vie Parisienne* par exemple. Avec une certaine complaisance même, ils laissent traîner leurs doigts sur les images quand elles représentent des dames.

Ils ont, dans leur grand temple, des cérémonies religieuses très belles, et nous y sommes maintenant conviés. Au bruit du gong, ils font devant les idoles des entrées rituelles, à vingt ou trente officiants en costume de gala, avec des génuflexions, des battements de mains, des allées et venues savantes qui semblent les figures d'un quadrille mystique...

Eh bien ! le sanctuaire a beau être sombre, immense; les idoles, superbes... dans ce Japon, les choses n'arrivent jamais qu'à un semblant de grandeur. Une mesquinerie irrémédiable, une envie de rire est au fond de tout.

Et puis, il y a l'auditoire qui nuit au recueillement et où nous retrouvons des connaissances : ma belle-mère quelquefois, ou une cousine, — ou la marchande de porcelaine qui hier nous a vendu un vase. Petites mousmés très mignonnes, vieilles dames très singesques, entrant avec leur boîte à fumer, leur parasol couvert de peinturlures, leurs petits cris, leurs révérences ; caquetant, se complimentant, sautillant, ayant toutes les peines du monde à tenir leur sérieux.

XLI

3 septembre.

Chrysanthème est venue aujourd'hui pour la première fois me voir à bord, chaperonnée par madame Prune et suivie de ma plus jeune belle-sœur, mademoiselle La Neige. Ces dames avaient l'air très posé, très comme il faut.

Dans ma chambre, il y a un grand Bouddha sur son trône, et devant lui un plateau de laque où mon matelot fidèle rassemble les menues pièces d'argent qu'il trouve errantes dans mes habits. Madame Prune, qui a l'esprit tourné au mysticisme, s'est crue là devant un autel véritable ; le plus gravement du monde, elle a adressé au dieu une courte prière ; puis, tirant son porte-monnaie (qui était, suivant l'usage, derrière son dos, attaché à sa ceinture bouffante avec sa blague et sa petite pipe), elle a déposé dans le plateau une pieuse offrande, en faisant la révérence.

Maintien très digne durant toute la visite. Mais au moment du départ, Chrysanthème, qui ne voulait pas s'en aller sans avoir vu Yves, l'a demandé avec une persistance déguisée très particulière. Et Yves, que j'ai fait venir, s'est montré bien doux pour elle, — tellement que j'en ai conçu cette fois un peu de sérieux ennui ; je me suis demandé si ce dénouement assez pitoyable, vaguement redouté jusqu'ici, n'allait pas bientôt se produire...

XLII

4 septembre.

J'ai rencontré aujourd'hui, dans un vieux quartier mort, une mousmé tout à fait exquise, délicieusement costumée, fraîche sur le fond sombre des ruines.

C'était tout au bout de Nagasaki, dans la partie très ancienne de la ville. Il y a dans cette région des arbres centenaires, des vieux temples de Bouddha, ou d'Amiddah, ou de Benten, ou de Kwanon [33], à hautes toitures pompeuses ; des monstres de granit assis dans des cours pleines de silence où l'herbe pousse entre les dalles. Ce quartier désert est traversé par un torrent étroit au lit profond, sur lequel sont jetés des petits ponts courbes aux balustres de granit rongés par le lichen. Toutes les choses qui sont là s'arrangent et grimacent bizarrement comme dans les plus antiques peintures nipponnes.

Je passais à l'heure brûlante de midi, et je ne voyais personne, — si ce n'est dans les bonzeries, par des fenêtres ouvertes, quelques rares prêtres, gardiens de sanctuaires ou de tombeaux, faisant la sieste sous leurs tendelets en gaze bleu-nuit.

Tout à coup, cette petite mousmé m'apparut, un peu au-dessus de moi, au sommet de la courbure, sur un de ces ponts tapissés de mousses grises ; en pleine lumière, en plein soleil, se détachant à la manière des fées éblouissantes sur un fond de vieux temples noirs et d'ombres. Elle retenait sa robe d'une main et la faisant plaquer au bas de ses jambes, pour se donner l'air plus svelte. Autour de sa petite tête étrange, son ombrelle ronde à mille plissures, éclairée par transparence, faisait une grande auréole bleue et rouge bordée de noir ; et un laurier rose chargé de fleurs, poussé entre les pierres de ce pont, s'étalait à côté d'elle, baigné lui aussi de soleil. Derrière cette jeune fille et ce laurier fleuri, tout était repoussoir obscur.

Sur la jolie ombrelle rouge et bleue, de grandes lettres blanches formaient cette inscription, qui est en usage pour les mousmés et qu'on m'a appris à connaître : *Nuages, arrêtez-vous, pour la regarder passer.* Et il en valait la peine, en effet, de s'arrêter pour cette précieuse petite personne, d'une japonerie si idéale.

Cependant, il n'eût pas fallu s'arrêter trop longtemps et se laisser prendre ; c'eût été encore un leurre. Poupée comme les autres évidemment, poupée d'étagère et rien de plus. En la regardant, je me disais même que Chrysanthème, apparaissant à cette même place, avec cette robe, cet éclairage et ce nimbe de soleil, eût produit un effet aussi charmant.

Car elle est gentille, Chrysanthème, ce n'est plus contestable... Hier au soir, je me rappelle, je l'ai admirée. C'était la nuit ; nous revenions, avec l'escorte des petits ménages pareils au nôtre, de la tournée habituelle dans les maisons de thé et les bazars. Tandis que les autres mousmés marchaient en se donnant la main, parées de pompons d'argent tout neufs qu'elles venaient de se faire offrir, et s'amusant avec des jouets, elle, soi-disant fatiguée, suivait à demi étendue dans une voiture de djin. Nous avions mis à ses côtés de gros bouquets en gerbes, destinés à remplir aujourd'hui nos vases, — des iris tardifs et des lotus à longue tige, les derniers de la saison, qui déjà sentaient l'automne. — Et c'était joli, cette Japonaise dans son petit char, nonchalante, au milieu de ces fleurs d'eau, éclairée en couleurs changeantes, au hasard des lanternes qui nous croisaient. La veille de mon arrivée au

Japon, si on me l'eût montrée en me disant : « Ta mousmé sera celle qui passe », j'en aurais été charmé sans aucun doute. — Dans la réalité, non, cependant, je ne le suis pas : ce n'est que Chrysanthème, toujours elle, rien qu'elle, la petite créature pour rire, mièvre de formes et de pensées, que l'agence Kangourou m'a fournie...

XLIII

Dans notre logis, l'eau pour boire, pour préparer le thé et faire les petites ablutions courantes, se tient dans des cuves de porcelaine blanche — ornées de peintures représentant des poissons bleus qu'un courant rapide entraîne au milieu d'algues affolées. Et ces cuves résident, pour plus de fraîcheur, en plein vent, sur le toit de madame Prune, à un point qu'il est facile d'atteindre, en allongeant le bras, du haut de notre balcon saillant. — Une vraie aubaine pour les chats altérés du voisinage ; pendant les belles nuits d'été, ce coin de toit, où sont nos cuves peinturlurées, devient pour eux un lieu de rendez-vous charmant, au clair de lune, après les entreprises galantes ou les longues rêveries solitaires au faîte des murs.

J'avais cru devoir en avertir Yves la première fois qu'il voulut boire de cette eau-là.

— Oh ! répondit-il, étonné, des chats vous dites ! est-ce que c'est sale, ça ?

Sur ce point, nous sommes d'accord avec lui, Chrysanthème et moi ; nous trouvons que les chats ne sont pas des bêtes à babines malpropres, et il nous est indifférent de boire après eux.

Pour Yves, Chrysanthème non plus, « ça n'est pas sale », et il boit volontiers dans sa petite tasse après elle, la classant, sous le rapport des babines, dans la catégorie des chats.

Eh bien ! ces cuves en porcelaine sont un des grands soucis quotidiens de notre ménage : jamais d'eau là-dedans, le soir, quand nous rentrons de la promenade, après cette montée qui nous a donné soif et après ces gaufres de madame L'Heure que nous avons mangées en manière de passe-temps tout le long de la route. Impossible d'obtenir que madame Prune ou mademoiselle Oyouki, ou leur jeune servante mademoiselle Dédé*, aient la prévoyance de remplir cela pendant qu'il fait jour. — Et, quand nous rentrons tard, ces trois dames sont endormies : nous voilà obligés de vaquer à ce soin nous-mêmes.

Donc, il faut rouvrir toutes les portes fermées, se rechausser et descendre dans le jardin puiser de l'eau.

Et, comme Chrysanthème mourrait de peur toute seule dans ces arbres, au milieu de l'obscurité et des musiques d'insectes, je me vois forcé d'aller au puits avec elle.

Pour cette entreprise, nous avons besoin de lumière ; cherchons donc dans la collection de ces lanternes achetées chez madame Très-Propre, qui s'entassent de nuit en nuit au fond d'une de nos petites armoires en papier : pas une dont la bougie ne soit consumée, — je m'y attendais ! Allons, il s'agit de prendre résolument la première venue et de planter une bougie neuve sur la pointe de fer qui se dresse au fond : — Chrysanthème y met toute sa force ; — la bougie se fend, éclate ; la mousmé se pique les doigts, fait la moue et pleurniche... Scène inévitable de tous les soirs, qui retarde d'un bon quart d'heure notre coucher sous le tendelet de gaze bleu sombre, tandis que les cigales du toit nous font là-haut leur plus moqueuse musique...

Et tout cela, qui m'amuserait avec une autre, — avec une autre que j'aimerais, — avec elle, m'impatiente bien...

* *Dédé-San* signifie en français : « mademoiselle Jeune fille » ; c'est un nom très répandu.

XLIV

11 septembre.

Huit jours viennent de passer, assez paisibles, durant lesquels je n'ai rien écrit. Je crois que peu à peu je me fais à mon intérieur japonais, aux étrangetés de la langue, des costumes, des visages. Depuis trois semaines, les lettres d'Europe, égarées je ne sais où, n'arrivent plus, et cela contribue, comme toujours, à jeter un léger voile d'oubli sur les choses passées.

Donc, chaque soir, je monte au logis fidèlement, tantôt par les belles nuits pleines d'étoiles, tantôt sous les ondées d'orage. Et chaque matin, quand la prière chantée de madame Prune prend son vol dans l'air sonore, je m'éveille et je redescends vers la mer, par ces sentiers où l'herbe est pleine de rosée fraîche.

La recherche des *bibelots* est, je crois, la plus grande distraction de ce pays japonais. Dans les petites boutiques des antiquaires, on s'assied sur des nattes pour prendre une tasse de thé avec les marchands ; puis on fouille soi-même dans des armoires, dans des coffres, où sont entassées des vieilleries bien extravagantes. Les marchés, très discutés, durent souvent plusieurs jours et se traitent en riant, comme de gentilles petites farces que l'on voudrait se jouer les uns aux autres...

J'abuse vraiment de l'adjectif *petit*, je m'en aperçois bien ; mais comment faire ? — En décrivant les choses de ce pays-ci, on est tenté de l'employer dix fois par ligne. Petit, mièvre, mignard, — le Japon physique et moral tient tout entier dans ces trois mots-là...

Et ce que j'achète s'amoncelle là-haut, dans ma maisonnette de bois et de papier ; — elle était bien plus japonaise pourtant, dans sa nudité première, telle que M. Sucre et madame Prune l'avaient conçue. Il y a maintenant plusieurs lampes, de forme religieuse, qui descendent du plafond ; beaucoup d'escabeaux et beaucoup de vases ; des dieux et des déesses autant que dans une pagode.

Il y a même un petit autel shintoïste, devant lequel madame Prune n'a pu se tenir de tomber en prières et de chanter, avec son tremblement de vieille chèvre :

« Lavez-moi très blanchement de mes péchés, ô Ama-Térace-Omi-Kami, comme on lave des choses impures dans la rivière de Kamo... »

Pauvre Ama-Térace-Omi-Kami, laver les impuretés de madame Prune ! Quelle besogne longue et ingrate !!

Chrysanthème, qui est bouddhiste, prie quelquefois le soir avant de se coucher, tandis que le sommeil l'accable ; elle prie en claquant des mains devant la plus grande de nos idoles dorées. Mais son sourire, qui revient après, semble une moquerie d'enfant à l'adresse du Bouddha, dès que la prière est finie. Je sais aussi qu'elle vénère ses *Ottokés* (les Esprits de ses ancêtres), dont l'autel assez somptueux est chez madame Renoncule sa mère. Elle leur demande des bénédictions, la fortune, la sagesse...

Qui pourrait démêler quelles sont ses idées sur les dieux et sur la mort ? A-t-elle une âme ? Pense-t-elle en avoir une ?... Sa religion est un ténébreux chaos de théogonies vieilles comme le monde, conservées par respect pour les choses très anciennes, et d'idées plus récentes sur le bienheureux néant final, apportées de l'Inde à l'époque de notre moyen âge par de saints missionnaires chinois[34]. Les bonzes eux-mêmes s'y perdent, — et alors, que peut devenir tout cela, greffé d'enfantillage et de légèreté d'oiseau, dans la tête d'une mousmé qui s'endort ?...

Deux choses insignifiantes m'ont quelque peu attaché à elle (il est bien difficile que le lien ne se resserre pas, à la longue). — Ceci d'abord :

Madame Prune, un jour, était allée nous chercher une relique de sa galante jeunesse, un peigne en écaille blonde d'une transparence rare ; un de ces peignes qu'il est de bon ton de poser au sommet des coques de cheveux, à peine enfoncé, les dents toutes dehors, comme en équilibre. L'ayant retiré d'une jolie boîte en laque, elle l'élevait, du bout des doigts, à la hauteur de ses yeux, en clignant, afin de regarder le ciel au travers — le beau ciel d'été — comme on fait pour vérifier l'eau des pierres précieuses.

— Voilà, me disait-elle, la pièce de prix que tu devrais offrir à ta femme.

Et ma mousmé, très captivée, admirait combien la substance de ce peigne était limpide, combien la forme en était gracieuse.

Ce qui me plaisait le plus, à moi, c'était la boîte en laque. Sur le couvercle, une étonnante peinture, or sur or, représentait une vue, prise de très près, à la surface d'un champ de riz, par un jour de grand vent : un fouillis d'épis et d'herbages couchés et tordus par quelque rafale terrible ; çà et là, entre les tiges tourmentées, on apercevait la terre boueuse de la rizière ; il y avait même des petites flaques d'eau — qui étaient des parties de laque transparente dans lesquelles d'infimes parcelles d'or semblaient flotter comme des fétus dans un liquide trouble ; deux ou trois insectes, qu'il eût fallu un microscope pour bien voir, se cramponnaient à des roseaux, avec des airs d'épouvante, — et le tableau tout entier n'était pas grand comme une main de femme.

Quant au peigne de madame Prune, en lui-même il ne me disait rien, je l'avoue, et je faisais la sourde oreille, le trouvant bien insignifiant et bien cher. Alors Chrysanthème, tristement, répondit :

— Non, merci, je n'en veux pas ; remportez-le, chère Madame...

Et en même temps elle poussa un gros soupir, assez réussi, qui signifiait :

— Il ne m'aime déjà pas tant que cela... Inutile de le tourmenter.

Tout de suite, j'ai fait l'emplette désirée.

Plus tard, quand Chrysanthème sera devenue une vieille guenon comme madame Prune, avec des dents noires et de la dévotion, son tour arrivera de brocanter la chose — à quelque belle d'une génération à venir...

... Une autre fois, j'avais pris mal de tête, au soleil, et j'étais étendu par terre, reposant sur mon oreiller en peau de couleuvre. Les yeux troublés, je voyais tourner, comme en une ronde, la véranda ouverte, le grand ciel lumineux du soir où planaient des cerfs-volants étranges, et il me semblait que je vibrais douloureusement à ce bruit cadencé des cigales qui remplissait l'air.

Elle, accroupie près de moi, essayait de me guérir par un procédé japonais, en m'appuyant de toutes ses forces ses petits pouces sur les tempes et en les faisant tourner, comme pour les y enfoncer par un mouvement de vrille. Elle était devenue toute rouge à ce travail fatigant qui me causait un réel bien-être, quelque chose comme une griserie douce d'opium.

Ensuite, inquiète, pensant que j'allais peut-être avoir la fièvre, elle voulut me faire manger, roulée en boulette entre ses doigts, une efficace prière, écrite sur papier de riz, qu'elle conservait précieusement dans la doublure d'une de ses manches...

Eh bien, j'ai avalé cette prière sans rire, pour ne pas la blesser, pour ne pas ébranler sa petite croyance drôle...

XLV

Nous sommes allés aujourd'hui chez le photographe en renom, Yves, ma mousmé et moi, afin de poser en groupe[35].

Nous enverrons cela en France. — Yves sourit déjà en songeant à l'étonnement de sa femme quand elle apercevra ce minois de Chrysanthème entre nous deux, et il se demande ce qu'il pourra bien lui conter en matière d'explication :

— Mon Dieu, je dirai que c'est une de vos connaissances, voilà tout !

Au Japon, il y a des photographes dans le genre des nôtres ; seulement ce sont des Japonais, habitant des maisons japonaises. Celui qui aura l'honneur aujourd'hui, opère au fond de la banlieue, dans ce quartier antique de grands arbres et de pagodes sombres où j'avais rencontré l'autre jour une mousmé si jolie. Son enseigne se lit en plusieurs langues, plaquée sur un mur, au bord de ce petit torrent qui descend de la verte montagne traversé par des ponts courbes en granit séculaire et bordé de bambous légers ou de lauriers-roses en fleurs.

Cela étonne et cela déroute, un photographe niché là, dans tout ce Japon d'autrefois.

Précisément on fait queue à sa porte aujourd'hui ; nous tombons mal. Il y a toute une file de chars à djin qui stationnent, attendant des clients qu'ils ont amenés et qui passeront avant nous. Les coureurs, nus et tatoués, peignés correctement en bandeaux et en chignon, font la causette, fument des petites pipes, ou rafraîchissent dans l'eau du torrent leurs jambes musculeuses.

La cour d'entrée est une irréprochable japonerie, avec des lanternes et des arbres nains. Mais l'atelier où l'on pose pourrait être aussi bien à Paris ou à Pontoise : mêmes chaises en « vieux chêne », mêmes poufs défraîchis, colonnes en plâtre et rochers en carton.

Les personnes que l'on *opère* en ce moment sont deux dames de qualité (la mère et la fille, cela se devine), qui posent ensemble, en carte-album, avec des accessoires Louis XV. Les premières grandes dames de ce pays que j'aie vues de si près, un groupe bien étrange : longues figures de la classe noble, atones, anémiques, bleuâtres à force de poudre de riz, avec la bouche peinte en forme de cœur, au carmin pur. Du reste, une distinction incontestable, qui s'impose même à nous, malgré la différence profonde des races et des notions acquises.

Elles toisent Chrysanthème avec un assez visible dédain, bien que sa toilette soit aussi comme il faut que les leurs. Et moi, je ne puis me rassasier de regarder ces deux créatures ; elles me captivent comme des choses jamais vues et incompréhensibles. Leurs corps frêles, posés avec une grâce exotique, sont noyés dans des étoffes rigides et des ceintures bouffantes dont les bouts retombent comme des ailes fatiguées. Elles me font penser, je ne sais pourquoi, à de grands insectes rares ; sur leurs vêtements, des dessins extraordinaires ont quelque chose de la bigarrure sombre des papillons nocturnes. Surtout, il y a le mystère de leurs tout petits yeux, tirés, bridés, retroussés, pouvant à peine s'ouvrir ; le mystère de leur expression qui semble indiquer des pensées intérieures d'une saugrenuité vague et froide, un monde d'idées absolument fermé pour nous. — Et je songe, en les dévisageant : comme nous sommes loin de ce peuple japonais, comme nous sommes de race dissemblable !...

Il faut laisser passer ensuite plusieurs matelots anglais arrivés avant nous, bien pomponnés dans leurs vêtements de toile blanche, bien frais, bien gras, bien roses comme des bonshommes en sucre, qui posent avec des airs niais sur des fûts de colonnes.

Notre tour vient enfin ; Chrysanthème s'arrange avec lenteur, d'une manière très cherchée, tournant le plus possible les pointes de ses pieds en dedans, à la façon élégante.

Et, sur le cliché qu'on nous montre, nous avons l'air d'une petite famille bien ridicule, alignée devant un photographe de foire.

XLVI

13 septembre.

Yves est libre ce soir trois heures plus tôt que moi, — ce qui arrive de temps en temps, d'après la façon dont notre service de *quarts* est organisé. Ces jours-là, il descend à terre le premier et s'en va m'attendre à Diou-djen-dji.

Avec une longue-vue, je l'observe du bord, grimpant dans les sentiers verts de la montagne : il marche d'un pas très alerte, courant presque ; comme il paraît pressé d'aller retrouver cette petite Chrysanthème !

Vers neuf heures, quand j'arrive, je le vois assis par terre, au milieu de mon appartement, le torse nu (ce qui est ici une tenue d'intérieur suffisamment correcte, j'en conviens). Et, autour de lui, Chrysanthème, Oyouki, mademoiselle Dédé la servante, s'empressant à lui essuyer le dos — avec des petites serviettes bleues peinturlurées de cigognes et de sujets drolatiques...

— Ah ! mon Dieu, qu'est-ce qu'il a bien pu faire pour avoir si chaud, pour s'être mis dans un état pareil ?

Il me raconte que, près de chez nous, — un peu plus haut dans la montagne, — il a découvert un tir au sabre et qu'il y a livré assaut jusqu'à nuit close —

contre des Japonais qui tiraient à deux mains, en bondissant comme des chats, suivant l'usage de leur pays. Avec son escrime française, il les a battus à plate couture. Alors on lui a fait de grands saluts, de grands honneurs, — et apporté une quantité de bonnes petites choses très froides à boire. Tout cela réuni l'a fait transpirer beaucoup...

— Ah ! très bien. Mais je ne m'expliquais pas...

Il est ravi de sa soirée ; il ira tous les jours s'amuser à les battre ; il pense même faire des élèves.

Une fois l'assèchement de son dos terminé, les voilà tous ensemble, les trois mousmés et lui jouant au « pigeon vole » nippon. — En vérité, je ne pouvais rien souhaiter de plus innocent, de mieux sous tous les rapports.

Charles N*** et madame Jonquille, sa femme, nous arrivent inopinément vers dix heures. (Ils s'égaraient dans nos parages, sous les bosquets noirs, et sont montés, voyant de la lumière chez nous.)

Leur intention est d'aller finir leur soirée à la maison de thé des Crapauds, et ils veulent nous entraîner avec eux pour prendre des sorbets là-bas. — C'est au moins à une heure d'ici, cette maison de thé, de l'autre côté de la ville, à mi-montagne, dans les jardins de la grande pagode d'Osueva ; mais ils tiennent à leur idée quand même, prétendant que, par cette nuit pure et ce clair de lune, on doit avoir, de la terrasse du temple, une vue très jolie.

— Très jolie, je ne dis pas ; mais nous allions nous coucher, nous... Enfin, soit, partons, suivons-les.

Nous louons cinq djins et cinq chars, en bas, dans la grand-rue, devant chez madame Très-Propre, qui nous choisit, pour cette expédition tardive, des lanternes énormes et toutes rondes, de gros ballons rouges ornés de méduses, d'algues et de requins verts.

Il est près de onze heures quand nous nous mettons en route. Dans les quartiers du centre, les bons Nippons ferment déjà leurs petites échoppes, éteignent leurs lampes, tirent leurs panneaux de bois, poussent leurs châssis de papier.

Et plus loin, dans les antiques rues de la banlieue, tout est clos depuis longtemps ; nos chars roulent dans la nuit très noire. Nous crions à nos djins : *Ayakou! ayakou!* (Vite ! vite !) et ils courent à toutes jambes, en poussant de petits hurlements, comme des bêtes joyeuses, emballées par gaîté. Dans l'obscurité, nous allons un train de tempête, à la file indienne tous les cinq, cahotés furieusement sur les vieilles dalles disjointes, que nos ballons rouges éclairent mal en s'agitant toujours à l'extrémité de leurs tiges en bambou. De temps à autre, quelques Nippons, coiffés de nuit en mouchoir bleu, ouvrent une fenêtre pour regarder quels sont ces écervelés qui se promènent si vite et si tard, en faisant tout ce bruit. Ou bien, une lueur, que nous jetons en passant, nous montre le rire atroce d'une des grosses bêtes en pierre assises aux portes des pagodes...

Enfin nous arrivons au pied de ce temple d'Osueva et, laissant nos djins avec nos petits chars, nous commençons à monter les escaliers de géants, complètement déserts cette nuit.

Chrysanthème, qui fait toujours un peu la petite fille fatiguée, l'enfant gâtée et triste, monte avec lenteur, entre Yves et moi, s'appuyant sur nos bras.

Jonquille, au contraire, grimpe en sautillant comme un oiseau et compte pour s'amuser les marches interminables :

— *Hitôts' ! F'tâts' ! Mits' ! Yôts' !* (un ! deux ! trois ! quatre !) dit-elle en s'élevant par une série de petits bonds légers.

— *Itsôûts' ! Moûts ! Nanâts' ! Yâts' ! Kokonôts' !* (cinq ! six ! sept ! huit ! neuf !...)

Et elle appuie bien fort sur les accents circonflexes, comme pour rendre ces nombres encore plus drôles.

Sur son beau chignon noir brille un petit plumet d'argent ; sa silhouette est fine, gracieuse et d'une extrême étrangeté ; dans la nuit où nous sommes, on ne voit pas que sa figure est presque laide et sans yeux.

Vraiment, on dirait des petites fées, Chrysanthème et Jonquille, ce soir ; les moindres Japonaises, à certains moments, prennent de ces airs-là, à force de bizarrerie élégante et d'ingénieux arrangement.

L'escalier de granit, vide, immense, uniformément gris sous le ciel nocturne, paraît fuir en hauteur devant nous, — et en profondeur par-derrière, quand on se retourne, — en profondeur, en dégringolade vertigineuse. Sur les degrés de cette pente s'allongent, s'allongent démesurées, les ombres noires des portiques religieux par lesquels il nous faut passer ; et ces ombres, qui semblent se casser au ressaut de chaque marche, ont sur toute leur étendue des plissures régulières d'éventail. Les portiques se dressent isolément, s'étagent les uns au-dessus des autres ; — leurs formes étonnantes sont à la fois d'une simplicité extrême et d'une recherche rare ; ils se dessinent avec une netteté dure et, cependant, ils ont ce vague de vision que prennent les objets très grands à la lueur lunaire. Leurs achitraves courbes se relèvent, aux extrémités, en deux cornes inquiétantes, tendues vers la voûte lointaine et bleuâtre où scintillent les étoiles ; ils ont l'air de vouloir communiquer aux dieux, par ces pointes, les choses que leur base profonde entend dans la terre d'alentour remplie de sépulcres et de morts.

Nous sommes un tout petit groupe, nous, perdu maintenant au milieu de cette montée colossale ; nous cheminons, éclairés moitié par la lune pâle qui est en haut, moitié par les lanternes rouges qui sont dans nos mains et qui se balancent toujours au bout de leurs longues tiges.

Il se fait un grand silence dans ces abords du temple ; même les bruits d'insectes se taisent à mesure que nous nous élevons. Une sorte de recueillement, de demi-crainte religieuse nous gagne peu à peu, en même temps qu'une plus grande fraîcheur se répand dans l'air et nous saisit.

En haut, dans la cour sacrée, où résident le cheval de jade et les tourelles de porcelaine, nous nous sentons intimidés en entrant. Il y fait plus sombre, à cause des murs. Et notre arrivée semble déranger je ne sais quel conciliabule mystique tenu entre les Esprits de l'air et les symboles visibles qui sont là, chimères et monstres, éclairés aux reflets bleus de la lune.

Nous tournons à gauche, et nous pénétrons dans les jardins en terrasse, pour nous rendre à cette maison de thé des Crapauds qui est notre but cette nuit : nous la trouvons fermée, — je m'y attendais, — fermée et noire, à une heure pareille !... A la porte, nous tambourinons tous ensemble ; nous appelons par leurs noms, avec les intonations les plus câlines, toutes les mousmés de service que nous connaissons bien, mesdemoiselles Transparente, Étoile, Rosée-matinale et Marguerite-reine. — Personne. — Adieu les sorbets aux parfums et les haricots à la grêle !...

Devant la maisonnette du tir à l'arc, nos mousmés font un saut de côté, très effrayées, annonçant qu'il y a un cadavre par terre. — En effet, quelqu'un est là étendu. Nous examinons timidement la situation à la lueur de nos ballons rouges — tenus à toute longueur de tige par peur de ce mort : c'est simplement le vieux gardien du tir, celui qui, le jour du 14 juillet, choisissait de si belles flèches pour Chrysanthème, et il dort, ce bonhomme, le chignon un peu défait, mais d'un bon sommeil qu'il serait cruel de troubler.

Allons au bord de la terrasse, contempler la rade sous nos pieds, et puis nous rentrerons chez nous.

La rade, cette nuit, est une grande déchirure, sombre et sinistre, où les rayons de la lune ne descendent pas ; une crevasse béante, qui semble ouverte jusqu'aux entrailles de la terre et au fond de laquelle brillent, tout petits, comme une réunion de vers luisants dans une fosse, les feux des navires.

XLVII

... Le milieu de la nuit, deux heures du matin. Nos veilleuses brûlant toujours, un peu mourantes, devant nos idoles tranquilles... Chrysanthème me réveille brusquement et je la regarde : elle est dressée sur son bras tendu et sa figure exprime une intense terreur ; muette, elle me fait signe, sans oser parler, que quelqu'un s'approche... ou quelque chose... en rampant... Quelle visite sinistre est-ce donc ? — Cela me fait peur, à moi aussi. J'ai l'impression rapide de quelque immense danger inconnu, dans ce lieu isolé, dans ce pays dont je n'ai pas pu approfondir encore les êtres et les mystères. Il faut que ce soit bien affreux, pour qu'elle demeure là clouée, à demi morte de frayeur, elle *qui sait*...

C'est dehors, paraît-il ; cela arrive par les jardins ; de sa main tremblante, elle indique que cela va monter par la véranda, par le toit de madame Prune... — En effet, on entend de légers bruits... qui s'approchent.

J'essaie de lui dire :

— *Neko-San ?* (Ce sont messieurs les chats ?)

— Non ! fait-elle, toujours terrifiée et inquiétante.

— *Bakémono-Sama ?* (Messeigneurs les Revenants ?) — J'ai déjà pris l'habitude au Japon de m'exprimer avec cette excessive politesse.

— Non !!... *Dorobo !!* (Les voleurs !!)

— Les voleurs ! Ah ! tant mieux ; je préfère de beaucoup cela, par exemple, à une visite d'esprits ou de morts comme je l'avais craint tout à l'heure au sursaut de mon réveil ; des voleurs, c'est-à-dire des bonshommes bien en vie, ayant sans doute, en tant que Japonais, des figures assez drolatiques. Je n'ai même plus peur du tout, à présent que je suis fixé, et nous allons tout de suite vérifier la chose, — car il est certain que l'on remue sur le toit de madame Prune, — on s'y promène...

J'ouvre un de nos panneaux de bois et je regarde.

Je ne vois rien qu'une grande étendue calme, sereine, exquise, éclairée en plein par la lune brillante ; tout ce Japon endormi au chant sonore des cigales est bien charmant cette nuit, et ce grand air du dehors est bien suave à respirer.

Chrysanthème, à moitié cachée derrière mon épaule, écoute, tremblante, avance la tête pour examiner les jardins et les toits, avec des yeux dilatés de chatte effrayée... Non, rien, rien qui bouge... Çà et là quelques ombres dures, qu'on ne s'expliquait pas bien au premier coup d'œil, mais qui sont projetées par des pans de murs, des branches d'arbres, et gardent une immobilité absolue très rassurante. Tout semble d'une tranquillité figée et demeure silencieux, dans ce vague que la lune met sur les choses.

Rien ; — rien nulle part. C'étaient messieurs les chats, tout simplement, ou bien mesdames les chouettes : les bruits grandissent d'une manière si extraordinaire, la nuit chez nous...

Refermons ce panneau avec soin, par mesure de prudence, et puis allumons une lanterne et descendons voir s'il n'y a personne de caché dans des coins, si les portes sont bien closes ; pour rassurer Chrysanthème, faisons une ronde générale du logis.

Nous voilà donc parcourant ensemble, sur la pointe des pieds, toutes les retraites intimes de cette maison, qui, à en juger par ses bases, doit être bien antique, malgré ses cloisons légères en papier frais ; des renfoncements tout noirs, des petits caveaux voûtés de poutres vermoulues ; des armoires pour le riz qui sentent la vétusté et la moisissure ; des dessous très mystérieux où s'est amoncelée la poussière des siècles. En pleine nuit et pendant une chasse aux voleurs, tout cela, que je ne connaissais pas, a mauvais aspect.

A pas de loup, nous traversons l'appartement de nos propriétaires. — C'est Chrysanthème qui m'entraîne par la main, et je me laisse conduire. — Ils dorment en rang sous leur tente de gaze bleuâtre, éclairés par les veilleuses qui brûlent devant l'autel de leurs ancêtres.

— Tiens ! Ils sont alignés dans un ordre qui pourrait prêter à jaser, par exemple ! — Mademoiselle Oyouki d'abord, très gentille dans sa pose de sommeil. Ensuite, madame Prune, qui dort la bouche ouverte, montrant son râtelier noir ; de son gosier sort un bruit intermittent, pareil au grognement d'une truie... Oh ! qu'elle est vilaine, madame Prune !! — Et puis, M. Sucre, momifié pour l'instant. — Et enfin à son côté, dernière de la rangée, leur bonne, mademoiselle Dédé !!!...

La gaze tendue jette sur eux des reflets couleur d'eau marine ; on dirait des personnes noyées dans un aquarium. Et ces saintes veilleuses, cet autel armé d'étranges symboles shintoïstes donnent un faux air religieux à ce tableau de famille.

Honni soit qui mal y pense, mais pourquoi n'est-elle pas plutôt couchée à côté de ses maîtresses, cette jeune servante ? Chez nous là-haut, quand nous offrons l'hospitalité à Yves, nous avons soin de nous placer, sous notre moustiquaire, d'une façon bien plus correcte...

Un recoin que nous allons visiter en dernier lieu m'inspire une certaine appréhension. C'est une soupente basse et mystérieuse, contre la porte de laquelle est collée, comme chose perdue, une très vieille image de piété : *Kwanon-aux-mille-bras* et *Kwanon-à-tête-de-cheval,* assis dans des nuages et des flammes, horribles tous deux avec leurs rires de spectres.

Nous ouvrons, et Chrysanthème se rejette en arrière, poussant un cri affreux. — J'aurais cru que les voleurs étaient là, si je n'avais vu passer sur elle, et disparaître, une petite chose grisâtre, rapide, furtive : un jeune rat qui mangeait du riz en haut d'une étagère, et, qui, dans son effarement, lui avait sauté à la figure...

XLVIII

14 septembre.

Yves a perdu à la mer son sifflet d'argent, son indispensable sifflet pour la manœuvre, et nous courons la ville toute la journée, suivis de Chrysanthème, de mesdemoiselles La Neige et La Lune ses sœurs, pour en chercher un autre.

C'est très difficile à trouver dans Nagasaki, très difficile surtout à expliquer en japonais, un sifflet de marine, de forme consacrée, courbe avec une petite boule terminale, pour moduler les trilles et les sons enflés des commandements officiels. Trois heures durant on nous renvoie de boutique en boutique; — faisant mine d'avoir très bien saisi, on nous trace, au pinceau sur papier de soie, des adresses de magasins où nous devons infailliblement rencontrer ce qu'il nous faut, — et nous partons plein d'espoir, courant à une mystification nouvelle; nos djins essoufflés en perdent la tête.

On comprend bien que nous voulons quelque chose pour produire du bruit, de la musique; alors on nous offre des instruments de toutes les formes, les plus inattendus, les plus extraordinaires : des *pratiques* pour voix de polichinelles, des sifflets pour chiens, des trompettes. C'est toujours de plus en plus inouï ce qu'on nous propose tellement qu'à la fin un fou rire nous gagne. En dernier lieu, un vieil opticien nippon, qui avait pris un air très fin, un air de parfaite compétence, s'en va fouiller dans son arrière-boutique — et nous rapporte une sirène à vapeur, provenant d'un paquebot naufragé.

Après dîner, l'événement considérable de la soirée est une averse de déluge qui nous surprend au sortir des maisons de thé, au retour de notre promenade élégante. Justement nous étions en troupe nombreuse, ayant avec nous plusieurs mousmés invitées, et, dès que cela commence à tomber du ciel sans préambule, comme d'un arrosoir renversé, il en résulte une immédiate débandade. Elles se sauvent, les mousmés, avec des petits cris d'oiseau, se réfugient dans des portes, chez des marchandes, sous des capotes de djins.

Puis bientôt, quand les boutiques se sont fermées en hâte, quand la rue est vide, inondée, presque noire ; les lanternes de papier, détrempées, piteuses, éteintes, — je me retrouve, je ne sais comment, plaqué contre un mur, sous la saillie d'un toit, dans la seule compagnie de mademoiselle Fraise, ma cousine, qui pleure à cause de sa belle robe mouillée. Et cette ville me paraît tout à coup d'une tristesse lugubre, au bruit de la pluie qui tombe toujours, éclaboussant tout, au bruit des gouttières qui font, dans l'obscurité, des petits murmures plaintifs de ruisseaux.

Très vite finie, l'ondée. Alors les mousmés sortent de leurs trous, comme des souris, se cherchent, se hèlent, et leurs petites voix ont ces intonations traînantes, mélancoliques, singulières, qu'elles prennent chaque fois qu'il s'agit d'appeler dans le lointain :

— Ohé, mademoiselle la Lu-u-u-une !!

— Ohé, madame Jonqui-i-i-ille !!

Elles se crient les unes aux autres leurs noms bizarres et les prolongent indéfiniment dans la nuit devenue silencieuse, dans la sonorité qu'a prise l'air humide après cette grande pluie d'été.

Enfin les voilà toutes retrouvées, réunies, ces petites personnes à yeux bridés, dépourvues de cervelle, — et nous remontons à Diou-djen-dji, très mouillés tous.

Pour la troisième fois Yves couche à nos côtés, sous notre tente bleue.

Un grand tapage se fait au-dessous de nous, passé minuit ; ce sont nos propriétaires qui reviennent d'un pèlerinage à un temple lointain de la déesse de la Grâce. (Bien que shintoïste, madame Prune vénère cette divinité qui, dit-on, fut bienveillante à sa jeunesse.) Tout aussitôt, nous voyons monter, comme une fusée, mademoiselle Oyouki, apportant sur un délicieux petit plateau des bonbons bénis, achetés là-bas aux portes de ce temple à notre intention et qu'il faut manger tout de suite, avant que la vertu en soit éventée. — Sans sortir d'un demi-sommeil, nous absorbons ces petites choses au sucre et au poivre, en remerciant beaucoup.

Yves dort tranquille, sans donner cette fois des coups de poing dans le plancher, ni des coups de pied. Il a suspendu sa montre à l'une des mains de notre idole dorée, pour être plus sûr de voir toute la nuit l'heure qu'il est à la lumière de la sainte veilleuse. Il se lève de grand matin, demandant : J'ai été sage ? — et s'habille en hâte, préoccupé par l'appel et par le service.

Dehors, il doit déjà faire jour ; par ces petits trous, que le temps a percés dans nos panneaux de bois, des jets de clarté matinale entrent chez nous ; dans l'air de notre chambre, où nous conservons de la nuit enfermée, ils tracent de vagues rayures blanches. — Tout à l'heure, quand le soleil se lèvera, ces rayures vont s'allonger et devenir d'une belle couleur d'or. — On entend les cigales et les coqs, et bientôt madame Prune commencera son chant mystique.

Cependant Chrysanthème, par politesse pour Yves-San, allume une lanterne et le reconduit, en tunique de nuit, jusqu'au bas de l'escalier sombre. — Il me semble même entendre qu'en se quittant, ils s'embrassent... Au Japon c'est sans conséquence je le sais bien ; cela se fait beaucoup, c'est très reçu ; n'importe où, dans des maisons où l'on entre pour la première fois, on embrasse très bien des mousmés quelconques sans que personne y trouve à redire. — Mais c'est égal, Yves est vis-à-vis de Chrysanthème dans une situation particulière, et il devrait mieux le comprendre. Je m'inquiète des heures qu'ils ont souvent passées au logis, seuls ensemble ; je me dis qu'aujourd'hui même je vais, non pas les épier, mais parler à Yves bien franchement, pour en avoir le cœur net...

... En bas, tout à coup, *clac ! clac !* le battement de deux mains sèches : c'est l'avertissement de madame Prune au grand Esprit. Et tout aussitôt sa prière éclate, s'élance, en fausset nasillard, suraigu comme part la sonnerie irritante et inexorable d'un réveille-matin quand l'heure est venue, comme se fait le bruit machinal d'un ressort qu'on lâche et qui se déroule...

... *La plus riche femme du monde... Très blanchement de mes impuretés, ô Ama-Térace-Omi-Kami, dans la rivière de Kamo...*

Et ce chevrotement étrange, plus du tout humain, égare et change mes idées, qui étaient presque claires à cet instant de réveil...

XLIX

15 septembre.

Le vent est au départ. Depuis hier il est vaguement question de nous envoyer en Chine, dans le golfe de Pékin : une de ces rumeurs qui circulent on ne sait comment de l'avant à l'arrière des navires, deux ou trois jours avant les ordres officiels, et qui ne trompent jamais. Comment va être le dernier acte de ma petite comédie japonaise, le dénouement, la séparation ? Y aura-t-il un peu de tristesse chez ma mousmé ou chez moi, un peu de serrement de cœur à l'instant de cette fin sans retour ? Je ne vois pas bien cela par avance. Et les adieux d'Yves à Chrysanthème, comment seront-ils ? Ce point surtout me préoccupe...

Rien de bien précis encore, mais il est certain que, d'une façon ou d'une autre, notre séjour au Japon est près de finir. — C'est peut-être ce qui me fait, ce soir, jeter un coup d'œil plus ami sur toutes les choses qui m'entourent. — Six heures environ, quand j'arrive à Diou-djen-dji, après une journée de service. Le soleil très bas, prêt à s'éteindre, entre en plein dans ma chambre, la traverse de ses grands rayons d'or rouge, illuminant les Bouddhas, les fleurs disposées en gerbes bizarres dans les vases anciens. — Elles sont là cinq ou six petites poupées, mes voisines, s'amusant à danser au son de la guitare de Chrysanthème... Et je trouve un vrai charme ce soir à penser que ce logis, cette femme qui mène la danse, tout cela est mien. J'ai été injuste, en somme, envers ce pays ; il me semble que mes yeux s'ouvrent en ce moment pour le bien voir, que tous mes sens subissent un changement brusque et étrange ; je perçois et je comprends mieux tout à coup cette infinité de gentilles petites choses au milieu desquelles je vis, la grâce frêle et très cherchée des formes, la bizarrerie des dessins, le choix raffiné des couleurs.

Je m'étends sur mes nattes si blanches ; Chrysanthème, empressée, m'apporte l'oreiller en peau de serpent, et les mousmés souriantes, ayant encore en tête leur rythme interrompu de tout à l'heure, circulent autour de moi, à pas cadencés.

Leurs irréprochables chaussettes, à orteil séparé, ne font pas de bruit ; on n'entend, quand elles passent, qu'un froufrou d'étoffes. Je les trouve toutes agréables à regarder ; cet air poupée qu'elles ont me plaît à présent, et je crois découvrir ce qui le leur donne : non pas seulement ces figures rondes, inexpressives, à sourcils très éloignés des yeux ; mais surtout cet excès d'ampleur dans leurs robes. Avec ces manches si grandes, on dirait qu'elles n'ont pas de dos, pas d'épaules ; leurs personnes délicates sont perdues dans ces vêtements larges, qui flottent comme autour de petites marionnettes sans corps, et qui glisseraient d'eux-mêmes jusqu'à terre, à ce qu'il semble, s'ils n'étaient retenus, à mi-hauteur de bonne femme, par ces larges ceintures de soie. — Une manière de comprendre le costume bien différente de la nôtre, qui vise à mouler le plus possible des formes vraies ou fausses...

Et puis, comme j'admire ces fleurs arrangées dans nos vases par Chrysanthème, avec son art japonais : fleurs de lotus, grandes fleurs sacrées, d'un rose tendre et veiné, d'un rose laiteux de porcelaine, qui ressemblent à de très larges nénufars lorsqu'elles sont épanouies et, lorsqu'elles sont en bouton seulement, à de longues tulipes pâles. Leur parfum doux, un peu fatigant, s'ajoute à cette autre indéfinissable odeur de mousmés, de race jaune, de Japon, qui est toujours et partout dans l'air. Fleurs attardées en septembre, qui, en cette saison, se font très rares, coûtent très cher et s'élancent sur des tiges plus hautes ; Chrysanthème leur a laissé leurs immenses feuilles aquatiques d'un vert triste d'algue marine, et les a mêlées à des roseaux frêles. — Je les regarde et je songe avec quelque ironie à ces gros paquets ronds en forme de chou-fleur, que font nos bouquetières en France, avec entourage de dentelle ou de papier blanc...

... Toujours pas de lettres d'Europe, de personne. Comme tout s'efface, change, s'oublie... Voici que je me fais très bien à ce Japon mignard maintenant ; je me rapetisse et je me manière ; je sens mes pensées se rétrécir et mes goûts incliner vers les choses mignonnes, qui font sourire seulement ; je m'habitue aux petits meubles ingénieux, aux pupitres de poupée pour écrire, aux bols en miniature pour faire la dînette ; à la monotonie immaculée de ces nattes, à la simplicité si finement travaillée de ces boiseries blanches. Je perds même mes préjugés d'Occident ; toutes mes idées ce soir flottent et s'en vont ; en traversant le jardin, j'ai salué courtoisement M. Sucre, qui arrosait ses arbustes nains et ses fleurs contrefaites ; madame Prune me semble une vieille dame bien recommandable, ayant eu un passé très admissible...

Nous ne nous promènerons pas cette nuit ; j'ai envie de rester tout simplement étendu où je suis et d'écouter le *chamécen* de ma mousmé.

Jusqu'à présent j'avais toujours écrit sa *guitare* pour éviter ces termes exotiques dont on m'a reproché l'abus. Mais ni le mot *guitare* ni le mot *mandoline* ne désignent bien cet instrument mince avec un si long manche, dont les notes hautes sont plus mièvres que la voix des sauterelles ; — à partir de maintenant, j'écrirai *chamécen*.

Et j'appellerai ma mousmé *Kihou, Kihou-San;* ce

nom lui va bien mieux que celui de *Chrysanthème*, — qui en traduit exactement le sens, mais n'en conserve pas la bizarre euphonie.

Donc, je dis à Kihou, ma femme :

— Joue, joue pour moi ; je resterai là toute la soirée, et je t'écouterai.

Étonnée de me voir si aimable, se faisant un peu prier, ayant presque à la lèvre un plissement amer de triomphe et de dédain, elle s'assied dans la pose des images, relève ses longues manches de couleur sombre, — et commence. Les premières notes hésitantes bruissent en sourdine, mêlées aux musiques d'insectes qui se font dehors, dans l'air tranquille, dans le crépuscule chaud et doré. D'abord elle joue avec lenteur des choses confuses dont elle paraît ne pas bien se souvenir, dont la suite se fait attendre, ne vient pas ; — et les autres petites ricanent, inattentives, regrettant leur danse arrêtée. Elle est distraite, elle-même, maussade, comme qui s'exécute par devoir.

Puis peu à peu, peu à peu, cela s'anime, et les mousmés écoutent. Cela devient rapide, avec un tremblement de fièvre, et son regard n'a plus du tout l'insignifiance des poupées. Cela se change en bruit de vent, en rires affreux de masques, en plaintes déchirantes, en pleurs, — et ses prunelles dilatées fixent en dedans d'elle-même des japoneries indicibles.

Je l'écoute, étendu, les yeux à demi fermés, regardant entre mes cils, qui s'abaissent avec une lourdeur involontaire, regardant de très haut un énorme soleil rouge mourir sur Nagasaki. J'ai l'impression assez mélancolique d'un effacement, d'un recul de toute ma vie passée et de tous les autres lieux de la terre. A cette tombée de nuit, je me sens presque chez moi dans ce coin de Japon, au milieu des jardins de ce faubourg ; — et cela ne m'était jamais arrivé encore...

L

16 septembre.

... Sept heures du soir. — Nous ne redescendrons plus en ville aujourd'hui ; comme de bons bourgeois japonais, nous resterons dans notre haut faubourg.

En tenue de quartier, nous irons en voisins, Yves et moi, jusqu'au tir au sabre, — qui est à deux pas, au-dessus de notre maisonnette, confinant presque à notre jardin frais.

Fermé, ce tir, pour le moment ; un petit mousko assis à la porte nous explique, avec des révérences extrêmes, qu'il est trop tard, les amateurs sont partis, il faudra revenir demain.

La soirée est si belle et si douce que nous restons dehors, suivant sans but le sentier qui continue de s'élever et de se perdre dans les régions solitaires de la montagne, vers les cimes.

Une heure durant nous marchons, — promenade imprévue, — et nous voilà très haut, dominant des perspectives infinies aux dernières lueurs du jour ; nous voilà dans un site isolé et triste, au milieu de ces petits cimetières bouddhiques dont la campagne est partout semée.

Nous croisons quelques travailleurs attardés, qui reviennent des champs portant des gerbes de thé sur leur dos. La mine un peu sauvage, ces paysans ; demi-nus, ou bien habillés de robes longues en coton bleu ; ils nous font en passant de grandes révérences.

Pas d'arbres, dans cette région haute. Des champs de thé alternant avec des tombes : vieilles statuettes en granit qui représentent Bouddha dans son lotus, ou vieilles bornes funéraires sur lesquelles brillent des restes d'inscriptions d'or. Surtout il y a des espaces incultes, des rochers autour de nous et des broussailles.

Plus personne ne passe et la lumière baisse. Faisons halte un moment et ensuite il sera temps de redescendre.

Mais, près de l'endroit où nous sommes, une caisse en bois blanc munie de poignées, une sorte de chaise à porteurs est posée sur la terre remuée de frais, avec des lotus en papier d'argent et des petites baguettes de parfum qui brûlent encore ; évidemment quelqu'un a dû être, ce soir même, enterré là-dessous.

Je ne me le représente pas, ce personnage ; les Japonais sont si grotesques pendant la vie, qu'on a peine à se les figurer dans le calme et la majesté d'après... C'est égal, éloignons-nous de ce mort, nous pourrions le réveiller, il est trop frais, il nous impressionne. Allons nous asseoir ailleurs sur quelqu'une de ces tombes si anciennes qu'il n'y a plus rien, en dedans, que poussière. Et là, encore éclairés tous deux à ces hauteurs, tandis que les vallées, les bases de la terre sont déjà perdues dans l'ombre, causons.

Je voudrais parler à Yves de Chrysanthème ; c'est un peu dans ce but que je l'ai fait asseoir, et je ne sais comment m'y prendre, pour ne pas le blesser et pour n'être pas ridicule. Du reste, l'air pur qui passe ici et le paysage grandiose qui est sous mes pieds me rassérènent déjà beaucoup, me font prendre en dédaigneuse pitié mes soupçons et leur cause...

Nous nous entretenons d'abord de cet ordre de départ, pour la Chine ou pour la France, qui peut nous arriver d'un moment à l'autre. Il va falloir quitter bientôt cette vie facile et presque amusante, ce faubourg nippon où le hasard nous a fait camper, et notre maisonnette au milieu des fleurs. Yves regrettera ces choses plus que moi-même, je le comprends bien : car, pour lui, c'est la première fois que pareil intermède vient couper sa carrière rude. Jadis, dans les grades inférieurs[36], il n'allait presque jamais à terre, en pays exotique, pas plus que les goélands du large ; tandis que de tout temps j'ai été gâté, moi, par des petits logis autrement charmants que celui-ci, dans toute sorte de contrées dont le souvenir me trouble encore.

Et je me risque à lui dire, pour voir :

— Tu auras peut-être plus de chagrin que moi, de la quitter, cette petite Chrysanthème ?...

Un silence entre nous deux.

Après quoi je vais plus loin, brûlant mes vaisseaux :

— Tu sais, après tout, si elle te faisait tant de plaisir... Je ne l'ai pas épousée, elle n'est pas ma femme, en somme...

Très surpris, il me regarde :

— Pas votre femme, vous dites ? — Si ! par exemple... Voilà justement, c'est qu'elle est votre femme...

Nous n'avons jamais besoin d'en dire bien long, entre nous deux ; je suis absolument fixé maintenant, par son intonation, par son bon sourire de franchise ; je comprends tout ce qu'il y a dans cette petite phrase : « Voilà justement, c'est qu'elle est votre femme... » Si elle ne l'était pas, oh ! il n'oserait répondre de ce qui pourrait arriver, — malgré le remords qu'il en aurait au fond de lui-même, n'étant plus garçon, ni libre de sa personne comme autrefois. — Mais il la considère comme ma femme, et alors c'est sacré. Je crois en sa parole de la manière la plus complète, et j'ai un vrai soulagement, une vraie joie, à retrouver mon brave Yves des anciens jours. Comment donc ai-je pu subir assez l'influence rapetissante des milieux pour le soupçonner et m'en faire un pareil souci mesquin ?...

N'en parlons seulement plus, de cette poupée...

Nous restons là très tard, à causer d'autre chose, tout en regardant, sous nos pieds, des vallées, des montagnes, des profondeurs immenses qui s'assombrissent et s'éteignent. Très haut postés, dans le grand air pur, il nous semble déjà être partis de ce Japon mignard, déjà dégagés des petites impressions qu'il nous avait produites, des petits liens par lesquels il commençait à nous tenir.

Vus de telles hauteurs, tous les pays de la terre arrivent à se ressembler ; ils perdent le cachet imprimé sur eux par les hommes, les peuples ; par les atomes qui grouillent en bas.

Comme jadis dans les landes bretonnes, dans les bois de Toulven[37], ou comme en mer durant les quarts de nuit, nous parlons des choses auxquelles on est enclin à penser dans l'obscurité : de revenants, d'âmes, d'avenir, d'au delà, de néant...

Cette petite Chrysanthème, nous l'avions tout à fait oubliée !

Quand nous arrivons à Diou-djen-dji, par une nuit d'étoiles, c'est la musique de son *chamécen,* entendue de loin, qui nous rappelle son existence : elle étudie quelque nocturne à deux voix avec mademoiselle Oyouki, son élève.

Je me sens de très bonne humeur ce soir, délivré de mes soupçons absurdes sur mon pauvre Yves, très disposé à jouir sans arrière-pensée de mes derniers jours de Japon et à m'en amuser le plus possible.

Étendons-nous sur les nattes fraîches et écoutons le duo étrange de ces mousmés : une sorte de mélopée lente et lugubre, qui commence sur deux ou trois notes hautes, — et puis qui descend, qui descend à chaque couplet, d'une manière presque insensible, jusqu'à devenir très grave. Le chant conserve tout le temps sa traînante lenteur ; mais l'accompagnement qui s'enfle peu à peu est comme un bruit de bourrasque lointaine. A la fin, quand ces voix de petites filles, ordinairement douces, donnent des notes basses et rauques, les mains de Chrysanthème, crispées sur les cordes vibrantes, s'agitent frénétiquement. Elles baissent la tête toutes deux, avancent la lèvre inférieure, pour faire sortir avec effort ces étonnantes notes profondes. Et c'est dans ces moments-là que leurs petits yeux bridés s'ouvrent, semblent révéler quelque chose comme une âme, sous ces enveloppes de marionnette.

Mais une âme qui, plus que jamais, me paraît être d'une espèce différente de la mienne ; je sens mes pensées aussi loin des leurs que des conceptions changeantes d'un oiseau ou des rêveries d'un singe ; je sens, entre elles et moi, le gouffre mystérieux, effroyable...

Une autre musique, venue des lointains du dehors, interrompt pour un instant celle que ces mousmés nous faisaient.

C'est en bas, dans Nagasaki, dans les profondeurs au-dessous de nous, un bruit soudain de gongs et de guitares ; — nous courons nous pencher au balcon de la véranda pour mieux l'entendre.

Un *matsouri*, une fête, un cortège qui passe — « dans le quartier des dames galantes », affirment nos mousmés, avec un plissement dédaigneux des lèvres. — Mais il a l'air très chaste, le quartier de ces dames, ainsi vu à vol d'oiseau, des hauteurs que nous habitons et à la lueur vague des étoiles ; le concert qui s'y donne se purifie en montant jusqu'à nous du fond de cet abîme ; il nous arrive un peu étouffé, confus, magique, charmant...

... Cela s'éloigne et cela se tait...

Alors les deux petites amies retournent s'asseoir sur leurs nattes et reprennent leur duo triste. — Un orchestre discret mais innombrable de grillons et de cigales les accompagne en trémolo, — toujours ce trémolo immense qui se fait doucement et éternellement sur toute la terre japonaise.

LI

17 septembre.

Pendant l'heure de la sieste arrive l'ordre brusque de partir demain[38] pour la Chine, pour Tchéfou (un lieu affreux situé dans le golfe de Pékin). C'est Yves qui vient me réveiller dans ma chambre de bord, pour me l'apprendre.

— Il faut absolument que je me *débrouille* pour aller à terre ce soir, dit-il, pendant que j'achève de secouer mon sommeil —, d'abord, quand ce ne serait que pour vous aider à faire votre déménagement là-haut...

Et il regarde par mon sabord, levant la tête vers les cimes vertes, dans la direction de Diou-djen-dji et de notre vieille maisonnette sonore, qu'un repli de montagne nous cache.

C'est très gentil de sa part, ce désir de m'aider dans mon déménagement là-haut ; mais je crois aussi qu'il tient à faire ses adieux à ses petites amies japonaises, et vraiment je ne puis lui en vouloir.

Il se débrouille en effet et obtient, sans que je m'en mêle, la permission pour ce soir cinq heures, après l'exercice et la manœuvre.

Quant à moi, je pars tout de suite, dans un sampan de louage.

Au grand soleil de midi, au bruit tremblant des cigales, je monte à Diou-djen-dji.

Les sentiers sont solitaires ; les plantes, accablées de chaleur.

Cependant voici madame Jonquille, qui se promène, à cette heure lumineuse des sauterelles, abritant sa délicate personne et son fin minois sous un immense parasol en papier, tout rond, à nervures très rapprochées et à grands bariolages fantasques.

Elle me reconnaît de loin et, rieuse comme toujours, accourt au-devant de moi.

Je lui annonce notre départ —, et une grosse moue contracte sa figure enfantine... Allons, est-ce qu'elle en a du chagrin, vraiment ?... Est-ce qu'elle va pleurer ?... — Non ! non ; cela tourne en un accès de rire, un peu nerveux sans doute, mais inattendu, déconcertant, — sec et cristallin, dans le silence de ces sentiers chauds, comme une dégringolade de petites perles fausses.

Ah ! bien, par exemple, voilà un mariage qui sera rompu sans douleur ! — Elle m'impatiente, cette linotte, avec son rire, et je lui tourne le dos pour continuer ma route.

Là-haut, Chrysanthème dort, étendue sur le plancher ; la maison est complètement ouverte et une tiède brise de montagne passe au travers.

Précisément nous devions donner un thé ce soir, et, d'après mes indications, il y a déjà des fleurs partout. Encore des lotus dans nos vases, de beaux lotus roses ; les derniers de la saison, cette fois, je pense. — On a dû les commander chez ces fleuristes spéciaux qui demeurent là-bas, dans les quartiers du Grand Temple, et ils vont me coûter très cher.

A petits coups légers d'éventail, je réveille cette mousmé surprise, et je lui annonce que je m'en vais, curieux de l'impression que je vais produire. — Elle se redresse, frotte, avec le revers de ses petites mains, ses paupières alourdies, puis me regarde et baisse la tête : quelque chose comme un sentiment de tristesse passe dans ses yeux.

C'est pour Yves, sans doute, ce petit serrement de cœur.

La nouvelle court la maison.

Mademoiselle Oyouki monte quatre à quatre, ayant une demi-larme de bébé dans chaque œil ; elle m'embrasse avec ses grosses lèvres rouges, qui font toujours un rond mouillé sur ma joue ; — puis, vite, tire de sa grande manche un carré de papier de soie, essuie ces pleurs furtifs, mouche son petit nez, roule la feuille en boulette, — et la lance dans la rue sur le parasol d'un passant.

Madame Prune apparaît ensuite, agitée, défaite, prenant successivement toutes les poses de la consternation croissante. Qu'est-ce donc qu'elle a, cette vieille dame, et pourquoi s'approche-t-elle de moi ainsi, jusqu'à gêner mes mouvements quand je me retourne ??...

C'est inouï ce qu'il me reste à faire, ce dernier jour, de courses en djin chez des marchands de bibelots, des fournisseurs, des emballeurs.

Pourtant, avant qu'on dérange mon appartement, je veux prendre le temps de le dessiner... comme jadis, à Stamboul... Il semble vraiment que tout ce que je fais ici soit l'amère dérision de ce que j'avais fait là-bas...

Mais cette fois, ce n'est pas que j'y tienne, à ce logis ; c'est seulement parce qu'il est gentil et étrange ; le dessin en sera curieux à conserver.

Donc, je cherche une feuille d'album et je commence tout de suite, assis par terre, appuyé sur mon pupitre à sauterelles en relief, — tandis que, derrière moi, les trois femmes, bien près, bien près, suivent les mouvements de mon crayon avec une attention étonnée. Jamais elles n'avaient vu dessiner d'après nature, l'art japonais étant tout de convention, et ma manière les ravit. Peut-être n'ai-je pas la sûreté ni la prestesse manuelle de M. Sucre lorsqu'il groupe ses charmantes cigognes, mais je possède quelques notions de perspective qui lui manquent ; et puis on m'a enseigné à rendre les choses comme je les vois, sans leur donner des attitudes ingénieusement outrées et grimaçantes ; alors ces trois Japonaises sont émerveillées de l'air *réel* de mon croquis.

En poussant des petits cris admiratifs, elles se montrent du doigt les objets, à mesure que leur forme et leur ombre s'ébauchent en noir sur mon papier. Chrysanthème me regarde avec une nuance nouvelle d'intérêt :

— *Anata itchiban!* dit-elle. (Littéralement : « Toi premier ! » ce qui signifie : « Tu es tout à fait un personnage de premier brin ! »)

Mademoiselle Oyouki surenchérit encore sur cette appréciation et s'écrie dans un élan d'enthousiasme :

— *Anata bakari!* (« Toi seul ! » c'est-à-dire : « Il n'y a que toi au monde ; tous les autres, auprès de toi, ne sont que négligeable fretin. »)

Madame Prune ne dit rien, elle, mais je vois bien qu'elle n'en pense pas moins ; ses poses alanguies, sa main qui à tout instant frôle la mienne, me confirment même dans cette idée, que son air consterné de tout à l'heure m'avait fait concevoir : évidemment l'ensemble de ma personne parle à son imagination, restée romanesque après l'âge ! — je m'en irai avec le regret de l'avoir compris trop tard !!...

Si elles sont satisfaites de mon dessin, ces dames, moi je ne le suis guère. J'ai mis tout à sa place, bien exactement, mais l'ensemble a je ne sais quoi d'ordinaire, de quelconque, de *français,* qui ne va pas. Le sentiment n'est pas rendu, et je me demande si je n'aurais pas mieux réussi en faussant la perspective, à la japonaise, et en exagérant jusqu'à l'impossible les lignes déjà bizarres des choses. Et puis il manque à ce logis dessiné son air frêle et sa sonorité de violon sec.

Dans les traits de crayon qui représentent les boiseries, il n'y a pas la précision minutieuse avec laquelle elles sont ouvragées, ni leur antiquité extrême, ni leur propreté parfaite, ni les vibrations de cigales qu'elles semblent avoir emmagasinées pendant des centaines d'étés dans leurs fibres desséchées. Il n'y a pas non plus l'impression qu'on éprouve ici, d'être dans un faubourg bien lointain, perché à une grande hauteur parmi les arbres, au-dessus de la plus drôle de toutes les villes. Non, tout cela ne se dessine pas, ne s'exprime pas, demeure intraduisible et insaisissable.

... Nos invitations étant faites, nous donnerons ce soir notre thé quand même. Un thé d'adieu, alors, pour lequel nous déploierons le plus de pompe possible. Cela rentre dans ma manière, du reste, de clore mes existences exotiques par une fête; dans des pays divers, j'ai déjà fait ainsi.

Nous aurons nos habituées, plus ma belle-mère, mes parentes, et enfin toutes les mousmés du quartier. Mais, par un raffinement de japonerie, nous n'admettrons cette fois aucun ami européen, — pas même celui *d'une inconcevable hauteur*. — Yves seulement, et encore on le dissimulera dans un coin, derrière des fleurs et des objets d'art.

Au dernier crépuscule, aux premières étoiles, ces dames arrivent, avec des révérences adorables. Et bientôt notre maisonnette est pleine de petites femmes accroupies, dont les yeux bridés sourient vaguement; on voit luire comme de l'ébène poli tous les beaux chignons aux coques soignées; les corps frêles se perdent dans les plis des vêtements trop larges, qui bâillent tous, comme prêts à tomber, sur les petits dos fuyants, et découvrent des nuques exquises.

Chrysanthème un peu mélancolique, ma belle-mère Renoncule avec mille grâces, s'empressent au milieu de ces groupes, où les pipes en miniature s'allument.

On entend bientôt un murmure de rires discrets, qui n'expriment rien, mais qui ont un timbre exotique très gentil, et puis commence un *pan! pan! pan!* d'ensemble, sec et rapide, contre les rebords finement laqués des boîtes à fumer. A la ronde, sur des plateaux dont les formes sont spirituellement variées, circulent des fruits confits aux épices. Ensuite paraissent des tasses en porcelaine transparente, grandes comme des moitiés d'œuf, et l'on offre aux dames quelques gouttes d'un thé sans sucre, contenu dans des bouillottes de poupée ; — ou bien un doigt de *saki* (alcool de riz qu'il est d'usage de servir chaud, dans d'élégantes burettes à long col de héron).

Différentes mousmés exécutent, à tour de rôle, des improvisations sur le *chamécen*. D'autres chantent, en des modes suraigus, avec un sautillement continuel, comme des cigales en délire.

Madame Prune, ne pouvant plus faire mystère des sentiments trop longtemps refoulés qui l'agitent, m'entoure de tendres soins et me prie d'accepter quantité de gracieux souvenirs : une image, un petit vase, une petite déesse de la Lune en porcelaine de Satsouma, un irrésistible magot d'ivoire ; — je la suis en frémissant dans des recoins obscurs, où elle m'attire pour me faire en tête à tête ces cadeaux...

Vers neuf heures arrivent, avec un froufrou soyeux, les trois guéchas en vogue de Nagasaki, mesdemoiselles Pureté, Orange et Printemps, que j'ai louées quatre piastres par tête, — un prix excessif en ce pays.

Ces trois guéchas sont bien les mêmes petites créatures que j'avais entendues chanter, le jour pluvieux de mon arrivée, à travers les cloisons frêles du *Jardin des Fleurs*. Mais comme je me suis beaucoup japonisé depuis cette époque, elles me semblent aujourd'hui très diminuées, bien moins étranges, plus du tout mystérieuses. Je les traite un peu en baladines à mes ordres, et l'idée qui m'était venue d'épouser l'une d'elles me fait hausser les épaules à présent, — comme jadis à M. Kangourou.

La chaleur excessive causée par les mousmés qui respirent et par les lampes qui brûlent, développe le parfum des lotus ; il remplit l'air devenu très lourd, et on sent aussi l'huile de camélias que les dames mettent à profusion pour faire luire leur chevelure.

Mademoiselle Orange, la guécha enfant, la toute petite et la toute mignonne, dont le rebord des lèvres est doré au pinceau, exécute des pas délicieux, avec des perruques et de faux visages très extraordinaires en bois ou en carton. Elle a des masques de vieille dame noble qui sont des objets de prix, signés par des artistes connus. Elle a de longues robes somptueuses, taillées à la mode ancienne ; les traînes en sont garnies par le bas d'un bourrelet rigide, afin de donner aux mouvements du costume ce je ne sais quoi d'apprêté et de pas naturel qui convient.

Maintenant des souffles de brise tiède passent d'une véranda à l'autre, à travers le logis, agitant la flamme des lampes. Ils effeuillent les lotus, épuisés de chaleur artificielle, qui tombent en morceaux, de tous les vases, et sèment sur les invitées leur pollen, leurs larges pétales roses pareils à des cassons de globes d'opale...

La pièce à effet réservée pour la fin est un trio de *chamécen*, long et monotone, que les guéchas exécutent en *pizzicato* rapide, sur les cordes les plus hautes, pincées très court. On dirait la quintessence même, — puis la paraphrase, l'exaspération, si l'on peut dire, — de cet éternel chant d'insectes qui sort des arbres, des plantes, des vieux toits, des vieux murs, de tout, et qui est la base même des bruits japonais...

Dix heures et demie. Le programme est rempli et la réception terminée. Un dernier *pan! pan! pan!* général et les petites pipes rentrent dans leurs étuis guillochés, se rattachent aux ceintures ; les mousmés s'agitent pour partir.

On allume, au bout de bâtonnets, une quantité de lanternes rouges, grises ou bleues, et, après des révérences sans fin, les invitées se dispersent dans l'obscurité des sentiers et des arbres.

Nous descendons nous-mêmes en ville, Yves, Chrysanthème, Oyouki et moi, pour reconduire ma belle-mère, mes belles-sœurs et ma jeune tante, madame Nénufar.

C'est que nous désirons aussi faire une dernière promenade ensemble dans les lieux de plaisir qui nous sont familiers, boire des sorbets à la maison de thé des *Papillons Indescriptibles*, acheter encore une lanterne chez madame Très-Propre, et manger quelques gaufres d'adieu chez madame L'Heure.

Je cherche à m'impressionner, à m'émotionner sur ce départ, et j'y réussis mal. A ce Japon, comme aux petits bonshommes et bonnes femmes qui l'habitent, il manque décidément je ne sais quoi d'essentiel : on s'en amuse en passant, mais on ne s'y attache pas.

Au retour, quand je suis là, avec Yves et ces deux mousmés, remontant une fois encore ce chemin de Diou-djen-dji que je ne reverrai sans doute jamais, un peu de mélancolie se glisse peut-être dans cette dernière promenade.

Mais c'est la mélancolie inséparable des choses qui vont finir sans retour possible.

D'ailleurs, il y a cet été calme et splendide qui finit lui aussi pour nous, — puisque demain nous courrons au-devant de l'automne, dans le nord chinois. Et je commence à les compter, hélas, les étés de jeunesse que je puis espérer encore ; je me sens devenir plus sombre, chaque fois que l'un d'eux s'enfuit, s'en va retrouver les autres, les disparus, dans l'abîme noir et sans fond où s'entassent les choses passées...

A minuit, nous sommes rentrés au logis, et mon déménagement commence, tandis que, à bord, l'*ami d'une légendaire hauteur* a la bonté de faire le quart à ma place.

Un déménagement nocturne, rapide, furtif, — « à la manière des *dorobo* » (des voleurs), fait observer Yves qui a pris, au frottement des mousmés, quelques teinture de langue nipponne.

Messieurs les emballeurs, sur ma prière, ont envoyé dans la soirée plusieurs petites caisses ravissantes, à compartiments, à doubles fonds, et plusieurs sacs en papier (en indéchirable papier japonais) qui se ferment d'eux-mêmes et s'attachent au moyen de liens, également en papier, disposés à l'avance d'une manière ingénieuse ; tout ce qu'il y a de plus spirituel et de plus commode dans le genre : pour les petites choses pratiques ce peuple est sans rival.

C'est plaisir que d'emballer là-dedans ; et tout le monde s'y met, Yves, Chrysanthème, madame Prune, sa fille et M. Sucre. A la lueur des lampes de la réception qui brûlent encore, chacun travaille à empaqueter, rouler, ficeler, — très vite, car il est déjà tard.

Oyouki, bien qu'elle ait le cœur gros, ne peut s'empêcher de mêler à sa besogne quelques éclats de son rire enfantin.

Madame Prune, éplorée, renonce à se contenir : pauvre dame, je regrette vraiment beaucoup...

Chrysanthème est distraite et silencieuse...

Mais quel effrayant bagage ! Dix-huit caisses ou paquets, de bouddhas, de chimères, de vases, — sans compter les derniers lotus que j'emporte aussi, liés en gerbe rose.

Tout cela s'entasse dans des voitures de djins, louées depuis le coucher du soleil, qui attendent à la porte, les coureurs endormis sur l'herbe.

Nuit étoilée, exquise. — Nous nous mettons en route aux lanternes, suivis des trois dames contristées qui nous reconduisent ; par des pentes extrêmes, dangereuses dans cette obscurité, nous descendons vers la mer...

Les djins contretiennent[39] de toutes leurs forces, en raidissant leurs jambes musculeuses : ces petites voitures chargées descendraient bien toutes seules, beaucoup trop vite, si on les laissait faire, et se lanceraient dans le vide avec mes bibelots les plus précieux. Chrysanthème marche à côté de moi et m'exprime, d'une manière douce et gentille, son regret que l'*ami si fabuleusement haut* n'ait pas offert de me remplacer pour le service jusqu'au matin, ce qui m'aurait permis de passer cette dernière nuit sous notre toit :

— Écoute, dit-elle, reviens demain dans le jour, avant l'appareillage, me dire adieu ; je ne retournerai chez ma mère que le soir ; tu me trouveras encore là-haut.

Et je le lui promets.

Elles s'arrêtent à certain tournant d'où l'on découvre à vol d'oiseau toute la rade : les eaux noires, endormies, reflétant d'innombrables feux lointains ; et les navires — petites choses immobiles qui ont forme de poisson, vues d'où nous sommes, et qui semblent dormir aussi, — petites choses qui servent à *aller ailleurs*, à aller très loin et à oublier.

Elles vont rebrousser chemin, ces trois dames, car la nuit est déjà avancée, et plus bas, les quartiers cosmopolites des quais ne sont pas sûrs, à cette heure indue.

Le moment est donc venu pour Yves — qui, lui, ne remettra plus les pieds à terre, — de faire ses grands adieux aux mousmés ses amies.

Or, je suis très curieux de cette séparation d'Yves et de Chrysanthème ; j'écoute de toutes mes oreilles, je regarde de tous mes yeux : — cela se passe de la manière la plus simple et la plus tranquille ; rien de ce déchirement qui sera inévitable entre madame Prune et moi ; chez ma mousmé, je remarque même un détachement, une désinvolture qui me confondent ; vraiment, je ne comprends plus.

Et je songe en moi-même, tout en continuant de

descendre vers la mer : « Ce semblant de tristesse chez elle, ce n'était donc pas pour Yves... Pour qui, alors ?... » Puis cette petite phrase me repasse en tête : « Reviens demain avant l'appareillage me dire adieu ; je ne retournerai chez ma mère que le soir ; tu me trouveras encore là-haut... »

Ce Japon est bien délicieux, cette nuit, bien frais, bien suave, et cette Chrysanthème était très mignonne tout à l'heure, me reconduisant en silence dans ce chemin...

Il est deux heures environ quand nous arrivons à la *Triomphante*, dans un sampan de louage que j'ai rempli de mes caisses, à couler bas. L'*ami très haut* me remet le service que je dois garder jusqu'à quatre heures, et les matelots de quart, mal éveillés, font la chaîne, dans l'obscurité, pour monter à bord tout ce fragile bagage...

LII

18 septembre.

J'avais mis dans mes projets de dormir tard ce matin, pour rattraper mon sommeil perdu de la nuit. Mais voici que, dès huit heures, trois personnages de mine singulière, conduits par M. Kangourou, se présentent à la porte de ma cabine avec force révérences. Ils portent de longues robes chamarrées de dessins sombres ; ils ont les grands cheveux, les fronts hauts, les visages anémiques des personnes adonnées trop exclusivement aux beaux-arts, et, sur leurs chignons, des chapeaux *canotiers* d'un galbe anglais sont posés de côté, d'une manière fort galante. Sous leurs bras, ils tiennent des cartons chargés d'esquisses ; dans leurs mains, des boîtes d'aquarelle, des crayons, et, liés en faisceau, de fins stylets dont on voit briller les pointes aiguës.

Du premier coup d'œil, même dans l'effarement de mon réveil, j'embrasse l'ensemble de leurs personnes et je devine à quels hôtes j'ai affaire :

— Entrez, dis-je, messieurs les tatoueurs [40] !

Ce sont les spécialistes les plus en renom de Nagasaki ; je les avais mandés depuis deux jours, ne sachant pas partir et, puisqu'ils sont venus, je les recevrai.

A la suite de mes fréquentations avec des êtres primitifs, en Océanie et ailleurs, j'ai pris le goût déplorable des tatouages ; aussi ai-je désiré emporter comme curiosité, comme bibelot, un spécimen du travail des tatoueurs japonais, qui ont une finesse de touche sans égale.

Dans leurs albums, étalés sur ma table, je fais mon choix. Il y a là des dessins bien étranges appropriés aux différentes parties de l'individu humain : des emblèmes pour bras et pour jambes, des branches de roses pour épaule, et de grosses figures grimaçantes pour milieu de dos. Il y a même, — afin de satisfaire au goût de quelques clients, matelots des marines étrangères, — des trophées d'armes, des pavillons d'Amérique et de France entrelacés, un *God Save* au milieu d'étoiles, — et des femmes de Grévin calquées dans *le Journal amusant* !

Mes préférences sont pour une chimère bleue et rose fort singulière, longue de deux doigts environ, qui sera d'un joli effet sur ma poitrine, du côté opposé au cœur.

Une heure et demie d'agacement et de souffrance. Étendu sur ma couchette, livré aux mains de ces personnages, je me raidis pour subir leurs milliers d'imperceptibles piqûres. Quand par hasard un peu de sang coule, embrouillant le dessin dans du rouge, l'un des artistes se précipite pour l'étancher avec ses lèvres, — et je ne proteste pas, sachant que c'est la manière japonaise, la manière usitée par les médecins pour les plaies des hommes ou des bêtes.

Un travail aussi fin et minutieux que celui des graveurs sur pierre s'exécute sur moi avec lenteur ; des mains maigres me labourent d'une manière posée et automatique.

Enfin l'œuvre est terminée, — et les tatoueurs, qui se reculent d'un air de satisfaction pour mieux voir, déclarent que ce sera charmant.

Bien vite je m'habille pour aller à terre, — profiter de mes dernières heures de Japon.

Une chaleur torride aujourd'hui ; un de ces grands soleils de septembre qui tombent avec une certaine mélancolie sur les feuilles commençant à jaunir, qui sont clairs et brûlants après des matinées déjà fraîches.

Comme hier, c'est pendant l'accablement de midi que je monte dans mon haut faubourg, par des sentiers vides, où il n'y a que de la lumière et du silence.

J'ouvre sans bruit la porte de ma maisonnette ; je marche à pas de loup, avec des précautions extrêmes, par peur de madame Prune.

Au bas de l'escalier, sur les nattes blanches, à côté des petits socques et des petites sandales qui traînent toujours dans ce vestibule, il y a tout un bagage prêt à partir, que je reconnais du premier coup d'œil : de gentilles robes sombres, qui me sont familières, pliées avec soin et enveloppées dans des serviettes bleues nouées aux quatre bouts. — Je crois même que j'éprouve une impression furtive de tristesse en voyant sortir de l'un de ces paquets un coin de la boîte consacrée aux lettres et aux souvenirs — dans laquelle mon portrait, par Uyeno, habite maintenant en compagnie de divers minois de mousmés. — Une sorte de mandoline à long manche, prête à partir aussi, est posée sur le tout dans une gaine de soie bigarrée. — Cela ressemble au déménagement de quelque gitane — ou plutôt cela me rappelle certaine gravure d'un livre de fables que j'avais dans mon enfance : c'est tout à fait le même attirail et la longue guitare que la Cigale, ayant chanté tout l'été, portait sur son dos quand elle vint frapper chez la Fourmi sa voisine.

Pauvre petit bagage !...

Je monte sur la pointe du pied, — et je m'arrête, entendant chanter là-haut chez moi.

C'est bien la voix de Chrysanthème, et la chanson est gaie ! J'en suis dérouté, refroidi, et j'ai presque un regret d'avoir pris la peine de venir.

Il s'y mêle un bruit que je ne m'explique pas : *dzinn ! dzinn !* des tintements argentins très purs, comme si on lançait fortement des pièces de monnaie contre le plancher. Je sais bien que cette maison vibrante exagère toujours les sons, pendant les silences de midi aussi bien que pendant les silences nocturnes ; mais c'est égal, je suis intrigué de savoir ce que ma mousmé peut faire. — *Dzinn ! dzinn !* est-ce qu'elle s'amuse au palet, ou au *jeu du crapaud,* — ou à pile ou face ?...

Rien de tout cela ! Je crois que j'ai deviné, — et je monte encore plus doucement à quatre pattes, avec des précautions de Peau-Rouge, pour me donner le dernier plaisir de la surprendre.

Elle ne m'a pas entendu venir. Dans notre grande chambre complètement vidée, balayée, blanche, où entrent le clair soleil, et le vent tiède, et les feuilles jaunies des jardins, elle est seule assise, tournant le dos à la porte ; elle est habillée pour la rue, prête à se rendre chez sa mère, ayant à côté d'elle son parasol rose.

Par terre, étalées, toutes les belles piastres blanches que, suivant nos conventions, je lui ai données hier au soir. Avec la compétence et la dextérité d'un vieux changeur, elle les palpe, les retourne, les jette sur le plancher et, armée d'un petit marteau *ad hoc,* les fait tinter vigoureusement à son oreille, — tout en chantant je ne sais quelle petite romance d'oiseau pensif, qu'elle improvise sans doute à mesure...

Eh bien, il est encore plus japonais que je n'aurais su l'imaginer, le dernier tableau de mon mariage ! Une envie de rire me vient... Comme j'ai été naïf de me laisser presque prendre à quelques mots assez réussis qu'elle avait prononcés hier au soir en cheminant à mon côté, — à une petite phrase assez gentille qu'avaient embellie le silence de deux heures du matin et tous les enchantements de la nuit. Allons, pas plus pour Yves que pour moi, pas plus pour moi que pour Yves, rien ne s'est jamais passé dans cette petite cervelle, dans ce petit cœur.

Quand je l'ai assez regardée, je l'appelle :

— Hé ! Chrysanthème !

Elle se retourne, confuse, rougissant jusqu'aux oreilles d'avoir été vue pendant ce travail.

Elle a bien tort, pourtant, d'être si troublée, — car je suis ravi au contraire. La crainte de la laisser triste avait failli me faire un peu de peine, et j'aime beaucoup mieux que ce mariage finisse en plaisanterie comme il avait commencé.

— Une bonne idée que tu as eue là, dis-je, une précaution qu'il faudrait toujours prendre, dans ton pays où tant de gens malintentionnés sont habiles à imiter les monnaies. Dépêche-toi de finir avant que je m'en aille, et s'il s'en est glissé de fausses dans le nombre, je te les remplacerai bien volontiers.

Mais non, elle refuse de continuer devant moi. Je m'y attendais, du reste ; elle a pour cela trop de politesse héréditaire et acquise, trop de convenance, trop de japonerie. D'un petit pied dédaigneux, — ganté toujours de chaussettes immaculées avec étui spécial pour le premier orteil, — elle repousse bien loin sur les nattes les piles de ces piastres blanches.

— Nous avons loué un grand sampan fermé, dit-elle pour changer la conversation, et nous irons toutes ensemble, Campanule, Jonquille, Touki, toutes vos femmes, regarder l'appareillage de votre navire... Assieds-toi, et, je te prie, reste un moment.

— Rester, je ne le puis vraiment pas. J'ai plusieurs courses à faire en ville, vois-tu, et l'ordre nous a été donné de rentrer tous à bord à trois heures, pour l'appel général du départ. Et puis j'aime mieux me sauver, tu comprends, pendant que madame Prune repose encore en pleine sieste ; je craindrais d'être attiré encore dans des petits coins, de provoquer quelque scène déchirante au moment de la séparation...

Chrysanthème baisse la tête, ne dit plus rien, et, voyant que décidément je m'en vais, se lève pour me reconduire.

Sans parler, sans faire de bruit, elle derrière moi, nous descendons l'escalier, nous traversons le jardinet plein de soleil où les arbustes nains et les plantes contrefaites semblent, comme le reste de la maison, plongés dans une somnolence chaude.

A la porte de sortie, je m'arrête pour les derniers adieux : la petite moue de tristesse a reparu, plus accentuée que jamais, sur la figure de Chrysanthème ; c'est de circonstance d'ailleurs, c'est correct, et je me sentirais offensé s'il en était autrement.

Allons, petite mousmé, séparons-nous bons amis ; embrassons-nous même, si tu veux. Je t'avais prise pour m'amuser ; tu n'y as peut-être pas très bien réussi, mais tu as donné ce que tu pouvais, ta petite personne, tes révérences et ta petite musique ; somme toute, tu as été assez mignonne, dans ton genre nippon. Et, qui sait, peut-être penserai-je à toi quelquefois, par ricochet, quand je me rappellerai ce bel été, ces jardins si jolis, et le concert de toutes ces cigales...

Elle se prosterne sur le seuil de la porte, le front contre terre, et reste dans cette position de salut suprême tant que je suis visible, dans le sentier par lequel je m'en vais pour toujours.

En m'éloignant, je me retourne bien une fois ou deux pour la regarder, — mais c'est par politesse seulement, et afin de répondre comme il convient à sa belle révérence finale...

LIII

Dès mon entrée en ville, au tournant de la grand' rue, je fais la rencontre heureuse de 415, mon parent pauvre. Précisément j'avais besoin d'un djin rapide, et je monte dans sa voiture ; ce sera du reste un adoucissement pour moi, à l'heure du départ, de faire ainsi mes dernières courses en compagnie d'un membre de ma famille.

N'ayant pas l'habitude de circuler à ces heures de sieste, je n'avais pas encore vu les rues de cette ville aussi accablées de soleil, aussi désertes, dans ce silence et cet éclat mornes qui rappellent les pays chauds. Devant toutes les boutiques pendent des tendelets blancs, ornés par places de légers dessins noirs dont la bizarrerie a je ne sais quoi de mystérieux : dragons, emblèmes, figures symboliques. Le ciel éclaire trop ; la lumière est crue, implacable, et jamais ce Nagasaki ne m'avait paru si vieux, si vermoulu, si caduc, malgré ses dessus en papier neuf et ses peinturlures. Ces maisonnettes de bois, au-dedans d'une propreté si blanche, sont noirâtres au-dehors, rongées, disjointes, *grimaçantes*. — A bien regarder même, elle est partout, la grimace, dans les masques hideux qui rient aux devantures des antiquaires innombrables ; dans les magots, dans les jouets, les idoles : la grimace cruelle, louche, forcenée ; — elle est même dans les constructions, dans les frises des portiques religieux, dans les toits de ces mille pagodes, dont les angles et les pignons se contorsionnent, comme des débris encore dangereux de vieilles bêtes malfaisantes.

Et cette inquiétante intensité de physionomie qu'ont les choses contraste avec l'inexpression presque absolue des vrais visages humains, avec la niaiserie souriante de ces petites bonnes gens que l'on aperçoit au passage, exerçant avec patience des métiers minutieux dans la pénombre de leurs maisonnettes ouvertes. — Ouvriers accroupis, sculptant avec des outils imperceptibles ces ivoires drolatiques ou odieusement obscènes, ces étonnantes merveilles d'étagère qui font tant apprécier, par certains collectionneurs d'Europe, ce Japon jamais vu. — Peintres inconscients, jetant à main levée, sur fond de laque, sur fond de porcelaine, des dessins appris par cœur ou transmis dans leur cervelle par une hérédité millénaire; peintres automates, traçant des cigognes pareilles à celles de M. Sucre, ou d'inévitables petits rochers, ou d'éternels petits papillons... Le moindre de ces enlumineurs, à la très insignifiante figure sans yeux, possède au bout des doigts le dernier mot de ce genre décoratif, léger et spirituellement saugrenu, qui tend à nous envahir en France, à notre époque de décadente imitation, et devient déjà chez nous la grande ressource des fabricants d'*objets d'art* à bon marché.

Est-ce parce que je vais quitter ce pays, parce que je n'y ai plus d'attache, plus de gîte et que mon esprit est déjà un peu ailleurs, — je ne sais, mais il me semble que je ne l'avais jamais vu aussi clairement qu'aujourd'hui. Et, plus que de coutume encore, je le trouve petit, vieillot, à bout de sang et à bout de sève; j'ai conscience de son antiquité antédiluvienne; de sa momification de tant de siècles — qui va bientôt finir dans le grotesque et la bouffonnerie pitoyable, au contact des nouveautés d'occident.

L'heure passe; peu à peu les siestes s'achèvent partout; les ruelles étranges s'animent, s'emplissent, sous le soleil, de parasols bariolés. Le défilé des laideurs commence, des laideurs inadmissibles; le défilé des longues robes de magot surmontées de chapeaux *melons* ou *canotiers*. Les transactions reprennent, et aussi la lutte pour l'existence, âpre ici comme dans nos cités d'ouvriers, — et plus mesquine.

A l'instant du départ, je ne puis trouver en moi-même qu'un sourire de moquerie légère pour le grouillement de ce petit peuple à révérences, laborieux, industrieux, avide au gain, entaché de mièvrerie constitutionnelle, de pacotille héréditaire et d'incurable singerie...

Pauvre cousin 415, j'avais bien raison de l'avoir en estime : il est le meilleur et le plus désintéressé de ma famille japonaise. Quand nos courses sont finies, il remise sa petite voiture sous un arbre et, très sensible à mon départ, il veut me reconduire jusqu'à la *Triomphante* pour veiller sur mes dernières emplettes, dans le sampan qui m'emporte, et monter tout cela lui-même dans ma chambre de bord.

C'est à lui, la seule poignée de main que je donne vraiment de bon cœur, sans un arrière-sourire, en quittant ce Japon.

Sans doute, dans ce pays comme dans bien d'autres, il y a plus de dévouement et moins de laideur chez les êtres simples, adonnés à des métiers physiques.

Appareillage à cinq heures du soir.

Deux ou trois sampans se tiennent le long du bord ; des mousmés sont là, enfermées dans les étroites cabines, et leurs figures nous regardent par les toutes petites fenêtres, se cachant un peu derrière des éventails, à cause des matelots ; ce sont nos femmes qui ont voulu, par politesse, nous voir encore une fois.

Il y a d'autres sampans aussi, où des Japonaises inconnues assistent à notre départ. Elles se tiennent debout, celles-ci, — sous des parasols ornés de grandes lettres noires et bariolés de nuages aux couleurs éclatantes.

LIV

Nous sortons avec lenteur de la grande baie verte. Les groupes de femmes s'effacent. Le pays des ombrelles rondes à mille plissures se referme peu à peu derrière nous.

Voici la mer qui s'ouvre, immense, incolore et vide, reposant des choses trop ingénieuses et trop petites.

Les montagnes boisées, les caps charmants s'éloignent. — Et tout ce Japon finit en rochers pittoresques, en îlots bizarres sur lesquels des arbres s'arrangent en bouquets, — d'une manière un peu précieuse peut-être, mais tout à fait jolie...

LV

Dans ma chambre de bord, un soir, au large, au milieu de la mer Jaune, je regarde par hasard les lotus rapportés de Diou-djen-dji ; ils avaient résisté pendant deux ou trois jours ; à présent ils sont finis, pitoyables, semant sur mon tapis leurs pétales roses.

Moi qui ai conservé tant de fleurs fanées, tombées en poussière, que j'avais prises, çà et là, au moment des départs, dans différents lieux du monde ; moi qui en ai tant conservé que cela tourne à l'herbier, à la collection incohérente et ridicule, — j'ai beau faire, non, je ne tiens point à ces lotus, bien qu'ils soient les derniers souvenirs vivants de mon été à Nagasaki.

Je les prends à la main, avec quelques égards toutefois, et j'ouvre mon sabord.

Une lueur livide tombe sur les eaux, d'un ciel brumeux ; une espèce de crépuscule terne et morne descend, jaunâtre sur cette mer Jaune. — On sent que nous avons couru vers le nord et que l'automne approche…

Je les jette, ces pauvres lotus, dans l'étendue indéfinie, — en leur faisant mes excuses de leur donner une sépulture si triste et si grande, à eux qui étaient Japonais…

LVI

O Ama-Térace-Omi-Kami, lavez-moi bien blanchement de ce petit mariage, dans les eaux de la rivière de Kamo…

NOTES

1. Née en 1858, Alice Heine, nièce d'Henri Heine, duchesse de Richelieu, fut une des très grandes amies de Loti. Veuve, elle devient en 1889 Alice de Monaco en épousant le prince Albert. On lit dans le Journal (inédit) de Loti à la date du 28 août 1886, à l'occasion de sa visite à Rochefort : « Nous causons longuement de toutes les choses de ma vie que je lui ai confiées — et c'est étrange de l'avoir là chez moi, dans ce tête-à-tête intime et mystérieux [...] Elle est douce et exquise, parlant de tout sans embarras, avec simplicité, comprenant tout. » L'année suivante Loti, qui vient de terminer *Madame Chrysanthème*, lui rend visite au château de Haut-Buisson : « Elle est la seule femme qui ait presque toutes mes confidences intimes — à certains moments il me semble que je l'aime un peu d'amour. Et puis après non, elle est trop raffinée et trop pareille à moi : c'est de l'amitié seulement » (24 septembre 1887).

2. Voir la préface et les passages du Journal en Annexes.

3. Voir cette photo en hors-texte et les notes du chap. XLV.

4. Loti désigne ainsi Pierre Le Cor, dont il avait fait le héros de son livre *Mon frère Yves*. Ils se sont retrouvés sur la *Triomphante* (cf. *Propos d'exil*, p. 163).

5. La France occupe ces îlots du détroit de Formose en 1885.

6. A l'ouest de Nagasaki.

7. A propos de ce nom (qui ne figure pas dans le Journal de Loti à Nagasaki) Félix Régamey (voir préface) écrit : « Quant à Kangourou, c'est une bien autre affaire, le correspondant japonais n'existe pas, l'animal étant inconnu au Nippon. M. Loti a sans doute été amusé par une consonance dont il a tiré parti pour ridiculiser son personnage. Il y a, en effet, un nom propre *sans signification :* Kan-Kou-rô, dont il a pu faire Kangourou, en nous laissant croire à une honnête traduction ; » (*Le Cahier rose*, p. 24). Van Gogh, lui, est moins tatillon ; il écrit à Théo en août 1888 : « As-tu déjà lu *Madame Chrysanthème*, as-tu déjà fait connaissance avec ce maque-

reau d'une surprenante obligeance, M. Kangourou ? Puis avec les piments sucrés, les glaces frites et les bonbons salés ? » (Cf. Biblio.)

8. Shimonoseki, port au sud de l'île de Hondo à 200 kilomètres de Nagasaki.

9. Deshima : petite île dans la rade de Nagasaki.

10. D'après le *Grand Robert,* le mot est attesté pour la première fois (avec cette transcription *guécha*) dans *Madame Chrysanthème.* Les geishas, chanteuses et danseuses formées au Conservatoire de Yeddo (Tokyo), ne sont pas des courtisanes.

11. La piastre d'argent était la seule monnaie ayant cours dans tout l'Extrême-Orient.

12. Grande et large ceinture de soie.

13. L'île délicieuse est Tahiti qui sert de cadre au *Mariage de Loti* ; Stamboul sert de cadre à *Aziyadé* (GF, n° 550).

14. D'après une légende bretonne et vendéenne, la Chasse-Gallery est une meute infernale que l'on entend hurler par les nuits d'automne, et qui est conduite par des seigneurs impies sous l'autorité de l'un d'eux, Gallery (le Guillery de la chanson ?) condamné pour avoir chassé pendant les saints offices du dimanche.

15. Cet épisode constitue une partie du chapitre LV d'*Aziyadé* (3e partie : Eyoub à deux), l'épisode datant de l'hiver 1876-77.

16. Ce vieux mur et ces araignées, Loti y reviendra dans *Le Roman d'un enfant* (GF, n° 509) (chapitre XXXI et p. 14 de la préface à cet ouvrage). Dans son Journal, le 14 juillet 1884 il écrit : « Dehors au grand soleil, les gens sont à la fête de la République. Daniel en costume civil, dans des habits à moi. Tout ce jour, je travaille enfermé dans mon logis. Je travaille pour la *Revue des Deux Mondes,* — et cela, dans le berceau, sur la table verte, à la place où je faisais jadis l'été mes devoirs d'enfant. L'idée ne m'était jamais venue, depuis cette époque lointaine, de m'établir là ; aussi mes impressions d'enfance s'y retrouvent plus fraîches. Il y a le même lierre, les mêmes petites mouches d'eau sur le bassin, — les mêmes araignées habitant les petits trous du mur, celles qu'autrefois j'agaçais avec des brins d'herbes au lieu de faire mes devoirs. Je rêvais là, dans ma petite tête d'alors, je rêvais de voyages et de marine — aujourd'hui j'y écris sans enthousiasmes mes impressions chinoises, qu'on me paiera fort cher. » (inédit)

17. Dans le Journal (inédit) les noms des personnages sont donnés : Madame Campanule : Doïdé-San ; Charles N : le Commissaire de bord ; X : Rosenquist ; Z : Joubert ; Touki-San : Touki-San ; rien sur Sikou-San ou le Dr. Y probablement inventés.

18. Pour Louis de S. le Journal donne Louis de Silans.

19. Dieu de l'atmosphère — le Soleil — dans les religions sémites.

20. Poste d'observation en forme de tonneau placé sur le mât de certains navires.

21. La flotte française de l'amiral Courbet isolait Formose depuis le début de 1884 pour interdire le ravitaillement de Pékin en riz, déclaré contrebande de guerre. Loti est embarqué sur la *Triomphante* depuis le 5 mai 1885. Le traité de paix est conclu avec la Chine en juin 1885 et la *Triomphante* quitte alors les eaux de la Chine pour celles du Japon.

22. C'est aussi le nom d'un célèbre temple shintoïste de Kyoto où coule cette rivière.

23. Deux ans plus tard, Loti va reprendre tous ces souvenirs d'enfance dans *Le Roman d'un enfant*. Pour la Limoise (propriété appartenant à des amis, où il va chaque semaine) voir, par ex., les chap. III, XXXIV, XXXIX. Les thèmes du ressouvenir d'existence antérieure et du pressentiment sont des thèmes majeurs (chap. I, IV, XIV, etc.) de l'ouvrage, comme de toute l'œuvre de Loti.

24. Le renard blanc est le messager du dieu du riz. Dans *La Troisième Jeunesse de madame Prune*, Loti, de nouveau à Nagasaki, fait de fréquentes visites au Temple du Renard. Sur le chemin, il voit « un temple en miniature, de la taille d'un théâtre de Guignol, très vieux lui aussi, très fruste, mais ayant ses emblèmes énigmatiques, ses renards blancs et ses bouquets de riz apportés en offrande ». (Chap. XXI.)

25. Un des arbres les plus répandus au Japon : cèdre japonais (voir p. 261).

26. Ce dessert d'été traditionnel est encore populaire aujourd'hui.

27. Instrument de percussion, de la famille du xylophone.

28. La grande salamandre du Japon, le plus grand des batraciens, peut dépasser un mètre.

29. Voir la note 10. Yeddo est, jusqu'en 1868, l'ancien nom de Tokyo.

30. Le mot, effectivement dérivé de crapaud, ne signifie pas, en principe, jeune crapaud, mais : personne de petite taille, contrefaite. S'agit-il d'une erreur de Loti ? d'un jeu de mots ?

31. Les bonsaï.

32. Termes employés dans le manuel de japonais utilisé par Loti.

33. Amida Nyorai : un des dieux suprêmes du bouddhisme; Benzai-Ten : déesse de la musique (un des sept dieux du bonheur); Kanzeon Bosatsu : dieu de la charité, très populaire.

34. Le bouddhisme fut importé au Japon au VIe siècle via la Corée, et enrichi par des prêtres japonais et chinois, surtout Saicho (VIIIe s.), Kukaï (VIIIe s.), Eisaï (XIIe s.), Dogen (XIIe s.).

35. Dans son Journal Loti donne le nom de ce photographe, Uyeno; Hikoma Uyeno (1838-1904) fut l'un des premiers photographes japonais. Voir ces photos en hors texte. Loti sera de

nouveau photographié par Uyeno lors de son séjour de 1901 à Nagasaki. Cf. l'article de D. Hervé dans *Le Japon de Pierre Loti*.

36. Loti avait probablement rencontré Pierre Le Cor (Yves) sur le *Borda* où celui-ci était simple matelot. Il le retrouve à Brest en 1877-78, quartier-maître et habitant Rosporden. Depuis 1884 Pierre est second-maître. Il passera maître en 1886.

37. C'est le nom que Loti, dans *Mon frère Yves,* donne à Rosporden, le village de Pierre Le Cor.

38. Dans *Aziyadé* l'ordre de départ arrive « comme un coup de foudre » (p. 179) ; et les épisodes se répètent d'un roman à l'autre : la fête d'adieu, le dessin de la maison que Loti va quitter, le tatouage.

39. Ce terme de menuiserie semble utilisé de façon un peu insolite.

40. L'épisode ne figure pas dans le Journal ; sur aucune photographie de Loti n'apparaît de tatouage.

ANNEXES

I

Madame Chrysanthème, opéra d'André Messager sur un livret de Georges Hartmann et André Alexandre, d'après le roman de Pierre Loti, fut créé le 30 janvier 1893 au Théâtre Lyrique (Renaissance). Il se composait d'un Prologue, 4 actes et un épilogue.

Voici deux extraits du livret.

Acte IV, scène 7
Pierre, Chrysanthème, seuls en scène.

Chrysanthème

Je sais que vous partez...

Pierre

Allons, séparons-nous, ma petite mousmé,
Quittons-nous bons amis sans trop verser de larmes.
Mon séjour au Japon n'a pas manqué de charmes
Grâce à ton fin minois souriant, parfumé !
    Tu m'as donné, ma pauvre Chrysanthème,
    Le meilleur de toi-même :
    Ton sourire éternel,
Tes révérences et tes chansons matinales...
Va, je me souviendrai de toi, de votre ciel,
Du Japon, des jardins fleuris et des cigales
    Qui murmurent toujours !
    Adieu, petite femme,
    A nos courtes amours
Gardons une pensée en un coin de notre âme...
    Adieu !...

Chrysanthème, silencieuse, s'abandonne à Pierre qui la serre dans ses bras. Il va pour s'éloigner, Chrysanthème veut parler. Il revient vers elle.

Chrysanthème, avec effusion, à voix basse
Pas encore... Au revoir !
Avant votre départ, viens m'embrasser ce soir !
Pierre l'embrasse une dernière fois et s'arrache de ses bras.

Épilogue

En mer, deux heures du matin, ciel plein d'étoiles. La passerelle d'un bâtiment de guerre sur laquelle se tiennent Pierre et Yves regardant au loin la ville dont on perçoit encore vaguement les dernières lumières.
Dans la hune du grand mât, la voix du gabier s'élève à travers le silence.

La voix du gabier
Quand les Bretons voyaient passer dans la campagne
Saint Yves revêtu de son vieux manteau gris,
Ils se disaient que Dieu l'avait mis en Bretagne
Pour défendre des grands, les faibles, les petits !...
Un court silence pendant lequel continue la symphonie.

Yves
Lieutenant...

Pierre, un peu sec
Yves ?

Yves
Le Japon... Il est loin à cette heure. Les dernières lueurs s'éteignent lentement...

Pierre, sèchement
Oui !

Yves
Comme vous dites ça, lieutenant ?

Pierre
Je le dis comme je le pense !

Yves
Et Chrysanthème ?

Pierre
Chrysanthème ! Je crois qu'elle te manquera plus qu'à moi.

Yves, peiné

Ah ! frère, vous voilà l'esprit encore plein de mauvaises pensées !

Pierre

Eh bien ! soit ! parlons-en pour n'y plus revenir ! J'étais là... dans le jardin... Je vous ai vus ensemble au moment du départ ! Sous le feuillage, ta bouche effleurant son visage, tu buvais son regard...

Yves

Ah ! ne connaissez-vous plus Yves ? Avez-vous pu croire qu'il lèverait les yeux sur la femme de son lieutenant ? D'ailleurs, la pauvre Chrysanthème vous aimait... La preuve, la voici !

Pierre, prenant la lettre des mains d'Yves, railleur

Une lettre ?

Yves

Quand vous serez parti, loin... bien loin, disait-elle, remets-lui cette lettre, elle lui dira bien naïvement ce que je n'aurais su lui dire tout haut... il n'aurait pas voulu m'écouter... ni me croire... il aurait ri, peut-être ?... et j'aurais eu du chagrin !

Pierre, ému, prend la lettre. Il la déplie lentement, puis il lit doucement.

« ... Tu n'as pas cru à mon amour !... Fallait-il donc t'embarrasser d'une petite femme capricieuse, volontaire, comme le sont, dit-on, vos femmes d'Europe, ce qui les fait paraître plus aimantes ! Pardonne-moi cette audace, j'ai voulu garder une petite place dans ton souvenir... je n'ose pas dire dans ton cœur... je sais bien, hélas ! qu'il n'a jamais été à moi ! Tu l'as dit : je n'étais pour toi qu'une poupée, une mousmé... Mais si j'ai pu te voir partir le sourire aux lèvres... je veux que tu saches, quand tu seras loin, bien loin de moi... qu'au Japon aussi il y a des femmes qui aiment et... qui pleurent !... »

Yves

Eh bien, frère, je vous le disais bien... Là-bas comme chez nous, les femmes...

Pierre, ému

... sont toujours des femmes !

FIN

II

Quelques extraits du livre de Félix Régamey *Le Cahier rose de Madame Chrysanthème,* Bibliothèque artistique et littéraire, 1894.

I. Extraits de l'Introduction

De nombreux et remarquables travaux ont été publiés sur cet empire, en Angleterre principalement. En France, nous avons ceux de M. Pierre Loti, l'ingrat, le déplorable ami de madame Chrysanthème. Son parti pris incompréhensible de dénigrement est bien fait pour confondre l'esprit de quiconque a pratiqué le Japon autrement que ce marin. Il n'a fait que l'entrevoir du pont de son navire, et il le définit ainsi : « cette étonnante patrie de toutes les saugrenuités !!! » (p. 15)

[...]

Le Japon, qui compte en France des admirateurs passionnés, n'avait point encore, parmi ses très rares détracteurs, un personnage de la taille de M. Pierre Loti — officier de marine, littérateur — et quel ! — peintre miniaturiste, d'une grâce féminine, décorateur d'éventails pour le grand monde, il est écouté et on le croit sur parole, quelles que soient les variations qu'il lui plaise de broder sur des sujets entrevus. Cependant l'observation d'escale a ses périls et prête à bien des défaillances. La déception sentimentale qui nous est confessée dans « Madame Chrysanthème » n'est peut-être pas étrangère non plus aux allures méprisantes qu'affiche libéralement, pour ce pays si beau, et pour ses habitants, l'historiographe patenté des faciles beautés exotiques. (p. 18)

[...]

De ce Japon, ceux qui l'ont bien vu et qui ont su l'apprécier, ont rapporté de persistants souvenirs qui dominent et remplissent une existence entière. L'impression psychique se mêle intimement ici à la sensation physique, et le parfum poivré des îles de l'Extrême-Orient suit, au travers des mers, avec l'évocation des êtres et des choses, ceux qui s'en sont allés.

Et ils souffrent, à voir tacher d'une encre maussade les

robes dorées ou fleuries des dieux et des femmes de là-bas.

Il est certainement bien à plaindre l'ami ennuyé de madame Chrysanthème d'être atteint de cette hyperexcitabilité douloureuse qui lui fait promener un spleen britannique à travers le plus riant pays du monde ; c'est à cette infirmité qu'il faut attribuer « l'exaspération que lui cause la laideur de ce peuple » et qui lui inspire des appréciations dans le goût de celle-ci : « des gongs, de claquebois, des guitares, des flûtes ; tout cela grince, gémit, détonne avec une étrangeté inouïe et une tristesse à faire frémir », et encore : « Passons vite, tout cela sent la race jaune, la moisissure et la mort ». (p. 20)

Où le mélancolique ami de madame Chrysanthème a-t-il jamais vu les boutiques encadrées de drap noir qu'il compare avec insistance à des tentures de pompes funèbres ? Ces étoffes, en réalité, sont des bannes où se lisent, en caractères clairs, les enseignes des différentes industries. Jamais elles ne sont noires, jamais elles ne sont en drap. Les Japonais, pour cet usage, emploient des toiles teintes, généralement, en beau bleu indigo ; quelques-une sont brunes ; les marchands de tabac, seuls, en étalent de rouges.

Nous ne croyons pas que tout cela offre un aspect bien funèbre et donne, d'après l'expression de l'auteur, l'idée d'un « deuil général ».

Ailleurs, c'est le tramway, dans lequel, il prend bien soin de nous le dire, « il monte pour la première fois de sa vie », qui l'indispose, et ses voisins lui inspirent cette phrase écœurée : « Combien je regrette, mon Dieu, de m'être fourvoyé dans cette voiture du peuple ». Voyez-le, tamponnant son mouchoir sous son nez d'aristocrate pour combattre la déplaisante senteur « d'huile de camélia rancie, de bêtes fauve, de race jaune ! »

L'imagination en ceci joue un grand rôle, car la race japonaise, grâce à son hygiène, à son exquise propreté, à ses bains chauds quotidiens et à son alimentation végétale, se distingue entre tous les peuples par son inodorance. (p. 21) [...]

Où cela devient plus grave, c'est lorsque, s'abandonnant sans réserve au parti pris de dénigrement qui l'anime, l'ami mal avisé de madame Chrysanthème englobe une nation entière dans la plus injurieuse des accusations. Oser dire en parlant d'un « établissement honnête et familial, tenu par un vieux monsieur Nippon, sa dame d'un certain âge et les trois aimables mousmés, ses demoiselles, qu'*ici comme partout* les personnes sont à vendre aussi bien que les choses » est plus qu'une calomnie.

Pour mériter d'être traités aussi grossièrement, il faudrait qu'ils eussent bien changé depuis le temps où saint François Xavier disait d'eux :

« Autant que je puis en juger, les Japonais surpassent en vertu et en probité toutes les nations découvertes jusqu'ici ; ils sont d'un caractère doux, opposé à la chicane, fort avides d'honneurs qu'ils préfèrent à tout le reste ; la pauvreté est fréquente chez eux, sans être en aucune façon déshonorante, bien qu'ils la supportent avec peine. »

Revenons à madame Chrysanthème.

Qui n'a souri à cette phrase de la dédicace : « Bien que le rôle le plus long soit à madame Chrysanthème, il est bien certain que les trois principaux personnages sont Moi, le Japon et l'Effet que ce pays m'a produit. »

Cette déclaration n'a pas seulement le don d'égayer quiconque est le moins du monde au courant de la question — artiste, marchand, touriste vulgaire ou simple matelot, j'en appelle à « mon frère Yves » lui-même — il en est plus d'un parmi ceux-là qui aurait souhaité voir le mot de Montaigne « Ceci est un livre de bonne foi » inscrit, le sens retourné, en tête de l'œuvre ; cela n'aurait pas été de trop pour le lecteur ignorant du Japon, et puis c'eût été plus franc. Car enfin, que voyons-nous dans cet ouvrage ? Des noms propres détournés intentionnellement de leur véritable sens par la traduction. (p. 23-24)

II. Extraits du « *Cahier rose* » lui-même, le Journal de Chrysanthème

4 août. — La nuit, nous sommes tourmentés par les insectes ailés ; la lumière des lampes, qui brûlent auprès de Benten, les attire dans notre chambre, et je fais tout ce que je peux pour les chasser. Je les supporterais bien, y étant habituée — ils sont même quelquefois très jolis à voir voltiger autour de la moustiquaire — mais je veux calmer Pierre que ces bestioles irritent.

Je m'aperçois que bien des choses lui déplaisent et je ne saurais dire si rien de ce qui nous entoure l'intéresse. Je commence à en éprouver un profond malaise...

*
**

10 août. — Je n'osais pas me l'avouer ; il s'ennuie. C'est un grand chagrin pour moi qui n'ai cessé de me mettre à ses pieds et de lui offrir le meilleur de moi, ainsi que cela se doit d'ailleurs. Hélas, nous ne nous servons pas du même langage ! J'ai fait demander un dictionnaire ; je l'attends ; il m'aimerait peut-être mieux, si je pouvais lui parler et si je pouvais l'entendre. Je voudrais apprendre le français en cachette pour lui faire une surprise ; le secret de mes études serait peut-être difficile à garder, n'importe ! Je meurs d'envie d'essayer.

***

11 août. — Ce sont les araignées maintenant qui l'horripilent !

***

12 août. — Il prend des notes parfois sur un petit carnet, mais il ne lit jamais, du moins je ne lui ai jamais vu un livre dans les mains, pas même un journal. Et moi qui aime tant la lecture, je ne puis m'y livrer que lorsqu'il n'est pas là.

Il paraît insensible à la vue des plus charmantes choses.

Décidément tout l'ennuie.

Je n'ose plus lui faire admirer mes bouquets. Il renifle parfois, en faisant une vilaine grimace ; le parfum subtil et fin, dont tout ici est imprégné, lui déplaît, — il n'est pas en mon pouvoir d'y rien changer, — et c'est de l'air le plus dégoûté du monde qu'il repousse la petite pipe d'argent que je lui présente pour qu'il fume avec moi. C'est un plaisir bien innocent ; je devrai peut-être m'en priver.

Jusqu'aux plats qu'on me sert, qu'il persifle — et ses yeux prennent une expression funeste, quand Yves, gaîment, tourne autour de moi comme un gros chien, et que je le fais manger avec mes baguettes d'ivoire — jeu d'enfant auquel il se prête volontiers.

Que se passe-t-il dans le cœur de Pierre ?

Je voudrais savoir. Dans mes insomnies, je vois un mur s'élever entre nous. Que vais-je devenir si cela continue ! Je crains de n'être pour lui qu'un accessoire insignifiant. M'a-t-il jamais demandé si je l'aimais, ou seulement si je pourrais l'aimer un jour ! Un jour... il s'en ira, bien loin, et je ne le reverrai plus jamais, et tout sera fini !

***

18 août. — Il n'a qu'un sourire railleur pour tous les petits objets en papier que je sais si bien faire ; des oiseaux, des fleurs, des arbustes... Ma musique l'agace ; une seule fois il a paru y prendre plaisir : Oyouki et moi nous nous étions mises à travailler sérieusement.

Je lui apprenais des airs de jadis. Nos deux *samisens* vibraient. Je chantais la ballade du « Lotus expirant au bord du lac desséché ». Les paroles de cette chanson me labouraient le cœur et je l'achevai dans un sanglot. (p. 38-39-40)

[...]

*
**

25 août. — Yves dans la chambre voisine de la nôtre, où nous l'avons installé pour la nuit, fait la chasse aux moustiques en grommelant ; il nous empêche de dormir ; il serait plus simple de lui faire une petite place sous notre moustiquaire, pensons-nous. Il s'ensuit un petit brouhaha. Par inadvertance, sans doute, Pierre a placé mon *makoura* entre le sien et celui du nouveau venu. Sans rien dire je remets les choses dans l'ordre convenable, Pierre au milieu.

La nuit s'est achevée paisiblement et ce matin les deux inséparables sont partis joyeux.

Je trouve sur le balcon son petit calepin qu'il a oublié. Mon dictionnaire n'est pas encore arrivé de Tokio ; ça doit être si difficile à apprendre le français ! Je crois qu'il faut y renoncer. Par désœuvrement je copie lettre à lettre, au dos d'un éventail, cette phrase que je lui ai vu écrire sur la dernière de ces pages dont il vaut mieux sans doute que j'ignore le sens :

« *Comme c'est éternellement joli, même au Japon, les matins de la campagne et les matins de la vie !* » (p. 42)

[...]

*
**

27 août. — Aujourd'hui en nous promenant nous avons été faire une visite à ma famille. Lui, d'assez bonne humeur, a été très bien pour tout le monde, surtout pour ma mère, qui dans la médiocrité où elle est tombée, est restée si grande dame, et dont la gravité enjouée a paru l'impressionner beaucoup. Il a aussi très bien accueilli mes sœurs et mes frères. Le plus petit, après maintes singeries mignonnes, est venu s'endormir sur ses genoux. Il a admiré le jardin et loué le goût exquis qui a présidé aux arrangements intérieurs de la maison.

Pendant quelques minutes tous mes chagrins furent oubliés. Mais ce rayon de soleil devait s'évanouir bientôt.

Yves et Oyouki nous ayant rejoints, nous sommes partis pour une longue tournée d'achat de bibelots dans la ville. Pierre, trouvant tout détestable et rien à son goût, enrageait, malmenait tout le monde, et la politesse des marchands — qu'il trouve exagérée — ajoutait à son exaspération.

Il me rendait honteuse... (p. 43).

[...]

6 septembre. — On a fait cadeau à Oyouki d'un petit appareil photographique, dont elle commence à se servir très adroitement, grâce aux leçons du professeur Takuma. Nous sommes allées ce matin nous faire photographier chez lui.

⁂

11 septembre. — Pour être resté exposé au soleil hier, il a été très malade ; je l'ai tenu dans mes bras longtemps. J'ai mis mes mains sur son front brûlant. Aujourd'hui il n'y paraît plus.

Fiévreuse, moi aussi, je pensais en le caressant bien doucement, que s'il mourait, je mourrais après lui. Les âmes n'ont pas besoin de paroles pour s'entendre, il saurait alors combien je l'ai aimé.

⁂

17 septembre. — Réveil affreux. En ouvrant les yeux — après une nuit passée à l'attendre — je vois Pierre debout, d'une main soulevant la gaze de la moustiquaire ; de l'autre il tient une petite valise. J'ai compris ; je retiens un cri ; ce sont ses adieux qu'il vient me faire.

... La journée s'est passée à emballer, Yves aidant. La *Triomphante* quitte Nagasaki demain soir. J'arrive à lui faire comprendre qu'il faut qu'il vienne m'embrasser avant le départ, puisqu'il ne peut pas se faire remplacer à bord cette nuit... Et Yves que je ne reverrai plus me serre la main une dernière fois, un peu trop fort.

⁂

18 septembre. — Puisqu'il doit revenir aujourd'hui, je n'ai pas encore le droit de pleurer... et je chante, pour endormir ma pensée, la chanson lugubre de l'usurier, accompagnée de coups frappés avec une petite baguette sur les piastres neuves que Pierre m'a laissées. Cette chanson, bien connue au Japon, montre que l'avarice mène à tous les crimes et que l'argent est ce qu'il y a de pis au monde.

Pour la dernière fois, il entre dans ma chambre, sans bruit, ainsi qu'on fait pour surprendre un enfant en faute. C'est une manie qu'il a, bien blessante, et qui m'a peut-être été plus cruelle que tout le reste.

Il prend en m'abordant un air tout à fait impertinent que je ne lui ai pas encore vu ; il vise du coin de l'œil les pièces blanches éparpillées autour de moi sur les tatamis. Est-ce qu'il croit, le malheureux, que je fais le moindre cas de ses piastres et que je les fais tinter pour savoir si elles sont fausses ?

C'est la suprême insulte !

J'irai jusqu'au bout et ne laisserai rien paraître, comme je fis, la nuit où il plaça mon makoura à côté de celui de son ami — pour voir... quoi ?

Je me prosterne sur le seuil de la porte qu'il a franchi pour la dernière fois et je reste en cette attitude jusqu'à ce que s'éteigne le bruit de ses pas. Il ne peut se douter que c'est une morte qu'il vient de quitter.

Ici s'arrêtent les notes du Cahier rose. (p. 46-47).

III

Quelques extraits du livre d'Émile Guimet, *Promenades japonaises*, 1875 (Institut national des langues et civilisations orientales).

« Peu à peu nous entrons dans la baie d'Yeddo. A droite et à gauche de hautes falaises blanches, bizarrement découpées, nous font apparaître le Japon tel que nous l'avions rêvé. La verdure festonne les collines et forme çà et là comme des voûtes de végétation. Les grands pins couronnent les hauteurs de leurs contours mouvementés. » (p. 10)

« Il pleut. Les grandes jonques que nous croisons sont montées par des hommes tout nus, qui évitent par là de mouiller leurs vêtements [...] Les hommes qui ne sont pas nus ont des blouses bleues à grands damiers blancs, ou des vêtements de paille, chaume hérissé qui garantit parfaitement de la pluie et donne à l'individu qui le porte un faux air de porc-épic. » (p. 12)

« La femme japonaise est bien la peinture de paravent que nous connaissons déjà. Elle marche les genoux serrés, traîne les pieds et donne au haut du corps tout le mouvement que l'équilibre réclame, la tête pivotant à chaque pas en sens inverse des épaules. » (p. 24)

« C'est vraiment une impression singulière de se sentir vivre au milieu de ce peuple si vivant et si étrange. A chaque instant on retrouve un aspect, une pose, un groupe, une scène, qu'on a déjà vus sur des faïences et des peintures ; et la scène est réelle, le groupe vous sourit, l'aspect n'est plus un rêve ; on se réveille d'un Japon qu'on croyait conventionnel, pour entrer, marcher, agir, dans un Japon vrai, incontestable, qui vous accueille en ami et ne diffère en rien de celui qu'on voyait en songe. » (p. 25)

« Nous arrivons dans une grande rue qui mène à la gare et où les boutiques sont pleines d'objets d'art, faïences, porcelaines, laques, bronzes, ivoires. Mais tout cela sent un peu la pacotille : les Japonais font l'article d'exportation tout comme nous. Les garçons de magasin, accroupis sur les nattes, sont vêtus d'un unique *kimono* qui cache mal la nudité partielle que leur impose la température. Je pense à ces jeunes commis des boutiques d'Alger dont les membres blancs et découverts ont quelque chose de si efféminé : mais, au Japon la nudité est inconsciente, et ce qui fait surtout la différence, c'est qu'au lieu d'avoir l'impassibilité ennuyée des musulmans, les Japonais sont vifs, ouverts, provoquent l'acheteur au lieu de paraître le subir. » (p. 29)

« Si l'on se promène par les sentiers qui circulent à travers les habitations, on assiste aux scènes les plus intimes. Les maisons japonaises se démontent complètement, par ces temps de chaleur, on enlève tous les panneaux de papier qui servent de muraille, et les habitants travaillent, causent, dorment en vue de tous les passants. De plus, l'usage est de prendre au moins un bain par jour, or, ce n'est pas la présence de voyageurs qui gênera en rien les hommes, les femmes, dans l'exercice de ces devoirs de propreté [...] Je le déclare, la pudeur est un vice. Les Japonais ne l'avaient pas : nous le leur donnons. » (p. 36-39)

IV

Tableau des correspondances entre les entrées du *Journal* de Loti à Nagasaki (juillet 1885) et les chapitres du roman. Établi par S. Funaoka dans son ouvrage *Pierre Loti et l'Extrême-Orient*.

Madame Chrysanthème		*Journal de Nagasaki*
chapitre	date	date
I-II	le 2 juillet*	le 8 juillet
III	le 3 —*	le 10 —
IV	le 6 —*	le 17 —
V	le 10 —	le 18 —
VI-VIII	dito —	le 24 —
IX	le 12 juillet —	dito
X	le 13 —	dito
XI	le 14 —	le 14 juillet
XII-XXI	le 18 juillet	le 24 juillet
XXII	dito	⧻[1]
XXIII	le 2 août	le 24 juillet
XXIV-XXVII	le 4 —	dito
XXVIII	dito	⧻
XXIX	le 10 août	le 24 juillet
XXX	le 12 —	⧻
XXXI	le 23 —	le 24 juillet
XXXII	le 24 —	le 25 —
XXXIII	dito	⧻
XXXIV	le 25 août	le 26 juillet
XXXV	dito	le 28 —
XXXVI	le 27 août	le 29 —
XXXVII	dito	⧻
XXXVIII	dito	le 24 juillet
XXXIX	dito	⧻
XL	le 2 septembre	le 24 juillet
XLI	le 3 —	dito
XLII	le 4 —	dito
XLIII	dito	⧻

* Ces trois dates ont été calculées d'après les descriptions du roman et du *Journal*.

1. Ces passages ne se trouvent pas dans le *Journal*.

XLIV	le 11 septembre	#
XLV	dito	le 29 juillet
XLVI	le 13 septembre	le 1er août
XLVII	dito	le 2 —
XLVIII	le 14 septembre	le 4 — le 6 — le 7 août
XLIX	le 15 —	le 5 août
L	le 16 —	le 4 —
LI	le 17 —	le 11 —
LII-LIV	le 18 —	le 12 —

V

Tableau des correspondances entre les noms propres du Roman et ceux du Journal. Établi par S. Funaoka.

Madame Chrysanthème	*Journal de Nagasaki*
madame Chrysanthème (Kikou-San)	Okané ou Okané-San
Djin 415 (pauvre cousin)	Kikou-San (pauvre cousin)
madame Renoncule (ma belle-mère)	(ma belle-mère)
madame Prune (Oumé-San)	Kaka-San
M. Sucre (Sato-San)	Matsou-San
Mademoiselle Oyouki	Oyouki-San
Yves	Pierre Le Cor
madame Campanule	Doïdé-San
Charles N...	(commissaire du bord)
madame Jonquille	Osseï-San
X...	Rosenquist
Touki-San	Touki-San
Z... (l'aspirant)	Joubert (l'aspirant)
Louis de S... (le komodachitak-san-takaï)	de Silans
Matsou-San	Matsou-San
Donata-San	Donata-San
Uyeno	Uyeno
M. Kangourou	Sejiu-San
madame Très-Propre (O Seï-San)	(la vieille)
madame L'Heure (Toki-San)	(la marchande de gaufres)
Bambou	(le mousko de quatre ans)

VI

Extraits du Journal intime (inédit) : année 1885.

Dimanche 5 juillet. — Le matin nous quittons Ma-Kung..... Au large en route pour le Japon.

Mardi 7. Quart de huit heures à minuit, avec Pierre. Nuit étoilée ; la grande ourse est remontée dans notre ciel, il fait presque frais ; cela rappelle nos nuits de quart d'autrefois, l'été, sur les côtes de Bretagne.

Mercredi 8. Arrivée au Japon, l'après-midi, par un temps pur, limpide, exquis. C'est joli et étrange. Nous entrons comme dans un couloir profond, entre deux rangées de très hautes montagnes, boisées, bizarres de forme ; d'un vert, d'un vert admirable, et qui se succèdent symétriquement, comme dans un décor de théâtre pas assez vraisemblable. Il fait calme, dans ce couloir profond qui est la baie de Nagasaki ; toutes ces verdures suspendues ont des odeurs tahitiennes. Nous frôlons au passage des centaines de grandes jonques extraordinaires, qui marchent tout doucement, avec des bruissements très légers ; leurs immenses voiles très blanches sont plissées et drapées comme des rideaux...

Vendredi 10 juillet. Pluie torrentielle, temps sombre et affreux —

C'est singulier, ce Japon crotté ! trempé, ruisselant d'eau — tout cela qui est comme dans les gravures — obligé de minauder sous ce ciel noir, en troussant ses robes.

L'après-midi seul, dans une “ *maison de thé* ” isolée, sur une hauteur au milieu des bois — sous la vérandah ouverte, trois petites “ *mousmés* ” à figure de poupée, me servent du thé, des fruits confits qu'elles me font manger, en riant beaucoup, avec des petites baguettes, à leur manière — Du silence dehors, dans la campagne mouillée ; toujours le ciel sombre, — un jardin maniéré au premier plan, des chats blancs qui se secouent sous la pluie ; au loin, la montagne boisée, et un temple. — Les " *mousmés* " chantent, accompagnant leur voix douce avec des petites guitares.

11 juillet Nagasaki. — Promené tout le jour avec Pierre, un peu grisé et étourdi de mettre les pieds pour la première fois sur la terre japonaise. Le temps sombre toujours. Dans la « maison de thé » déjà familière, je le mène faire un lunch japonais, et les petites filles aux cheveux piqués de grandes épingles lui apprennent à manger avec des baguettes. Puis dans le jardin ombreux et étrange du grand temple. Lui s'étonne de tout ce nouveau, et de m'entendre déjà presque parler cette langue, que j'ai apprise sommairement pendant les jours monotones de Ma-Kung. Et cela m'amuse de le promener partout, en petite voiture (djin-riki-cha) au milieu de ces foules et de ces bazars.

Nous faisons ensemble l'acquisition d'une armure de Samouraï ; puis nous dînons ensemble à l'hôtel français, avec les autres officiers du bord qui viennent nous rejoindre à notre table.

Après, à la nuit, quand il faut la faire embarquer, notre armure est perdue, partie par une djin-riki-cha qui n'est pas la nôtre. Et il faut courir après, avec des lanternes. C'est Kikou-San, notre ami nouveau, qui la retrouve...

Dimanche 12 †

Lundi 13. Mardi 14 juillet.
Le jour de la fête nationale de France ; grand pavois et salves. Hélas, je me rappelle beaucoup ce 14 juillet de l'an dernier, si calme, dans ma chère petite maison d'enfance, la porte fermée aux importuns ; j'avais passé la journée assis dans le berceau, à la place où je faisais mes devoirs d'enfant, à travailler pour la Revue. Marie D., tout en blanc elle aussi était venue me voir, et m'avait fait plaisir ce jour-là, parce qu'elle est, elle aussi, un souvenir d'enfance. Notre après-midi s'était passée dans un grand calme et un grand silence ; puis ma chère vieille mère était venue nous tenir compagnie, dans le grand salon bien frais.

Aujourd'hui c'est un autre charme, plus tourmenté, plus étrange. Pierre est « de terre » avec moi ; à une heure, deux djin-riki-cha rapides nous mènent au théâtre japonais, où des choses étranges sont dites et chantées par des acteurs presque effrayants au son d'une musique inouïe.

Et puis notre après-midi s'achève dans le jardin ombreux

du grand temple boudhique[1], d'où on domine toute la baie admirale de Nagasaki — à nous amuser avec les jeunes filles qui s'exercent au tir à l'arc.

Nous dînons très tard, dans la ville européenne, à un bar anglais. Là, dans tout ce quartier cosmopolite, grand tapage de matelots ; on a pavoisé partout et on tire des pétards en l'honneur de la France. Des files de voitures passent, remplies par les hommes de la « Triomphante » qui chantent des chœurs.

Vers minuit je me rappelle mon bon Pierre, très beau avec sa haute taille et sa carrure, luttant en riant contre une bande de « mousmés », hétaïres de 15 ans, toutes petites, qui lui viennent à peine à la ceinture, qui le tirent par le bras, par les jambes, voulant le mener à mal.

---

15 juillet. Tout en haut de la montagne, la nuit, dans le silence et l'obscurité... K.S...

---

17 juillet. Depuis hier j'habite dans le faubourg de Dioudjien-dji ; très haut au-dessus de la ville, dans les jardins et la verdure. Ce soir, dans ce logis, mes fiançailles. Okané-San, ma petite fiancée, a l'air timide et les yeux baissés qui conviennent ; sa famille, mère, sœurs, tante, et la famille de mon propriétaire, sont assises en cercle sur mes nattes blanches. Pierre et moi, assis sous la verandah d'où l'on domine, de 300 mètres de haut, comme au fond d'un abîme, tout l'immense Nagasaki où l'obscurité vient. — De longs discours en japonais, des pourparlers sans fin. La nuit vient tout à fait, il faut allumer les lampes.

Pierre est charmé de son air modeste, de ses petites mines timides de jeune fille que l'on marie ; il n'imaginait rien de pareil, pour un mariage d'un mois. Ces Japonais, ces mœurs, cette scène inattendue, l'étonnent et l'amusent :

— « C'est qu'elle est très gentille, dit-il, très gentille... » Il n'en revient pas, de tout cela... Il est dix heures quand tout est conclu, fini ; nous nous donnons la main, Okané-

1. Dans son Journal, Loti orthographie boudha, boudhique, avec un seul d.

San et moi ; Pierre aussi veut toucher sa toute petite patte. Ensuite les familles, ayant allumé leurs lanternes au bout de longs bâtons, se retirent après forces compliments, politesses, courbettes, révérences. Et nous restons, Pierre et moi, dans l'étrange logis vide, nous regardant l'un l'autre avec un sourire.

Puis nous sortons nous aussi ; la nuit est fraîche, silencieuse, exquise, avec des musiques de cigales... Les lanternes rouges de ma nouvelle famille s'en vont là-bas, dans le lointain... Comme c'est drôle, ce petit mariage !... Nous descendons, Pierre et moi, par les sentiers rapides, vers la mer, pour rentrer à bord.

Demain soir à 3 heures, le mariage devant les autorités civiles, la police... Pierre est désolé d'être de service, de ne pas voir ça...

(Puis vient le « bloc » du 24 juillet : cf. *Préface*)

Des dernières entrées, voici la visite finale à Okané-San : à comparer avec le chapitre LII du roman :

Mercredi 12 août [... la scène du tatouage]

Vite je m'habille pour aller à terre.

Une chaleur torride aujourd'hui ; le grand accablement de midi, les sentiers vides, silencieux. Quelqu'un court après moi, c'est Kikou-San, mon « cousin pauvre » qui a appris mon départ et vient me dire adieu. Justement j'ai besoin d'un djin-richi-cha[1] et d'un bon coureur, je le loue pour la journée.

Monté à Diou-djen-dji. Okané-San m'attend, dans le logis vide, où il n'y a plus que les nattes blanches. Ses affaires à elle sont pliées et nouées dans des serviettes bleues, prêtes à partir avec elle, et son « chamicen » à long manche est posé sur ces paquets ; on dirait un déménagement de gitana.

Arrive la petite Doidé-San, et Oyouki-San ; toutes les amies, disent-elles, vont prendre des sampans et venir en rade nous voir partir.

1. Loti utilise les deux transcriptions : riki et richi.

Je suis venu là pour faire mes adieux à Okané ; elle me reconduit jusqu'à la porte en silence, les yeux baissés, un peu triste. La vieille Kaka-San et son mari me reconduisent aussi, avec force souhaits de bon voyage et révérences jusqu'à terre. Et je m'éloigne de ce logis, sans me retourner, sans regarder derrière moi, comme on quitte le gîte d'auberge où l'on a dormi une nuit de hasard...... Ainsi finit mon mariage japonais.

[... puis l'embarquement et l'appareillage]

Et tout ce Japon et ce mariage s'oublient, — comme un petit rêve drôle, incohérent, qu'on aurait fait par hasard.

(Journal inédit, archives de la famille Loti-Viaud)

VII

Ce texte fut publié dans *Le Figaro* du 7 avril 1888, sous le titre « Un chapitre inédit de *Madame Chrysanthème* ». Et, en 1893, avec le titre actuel dans le volume *L'Exilée.*

Dans le Journal (inédit), ce voyage est daté du 9 août. Le texte imprimé est assez différent du texte du Journal.

UNE PAGE OUBLIÉE DE MADAME CHRYSANTHÈME

Nagasaki, dimanche 16 septembre 1885.

Depuis la veille, j'avais décidé d'aller avec Yves au temple de « Taki-no-Kanon », un lieu de pèlerinage situé à six ou sept lieues d'ici, dans les bois.

A dix heures du matin, par un soleil déjà brûlant, nous nous mettons en route dans des chars à djins, emmenant une relève de coureurs choisis, trois hommes pour chacun de nous, et des éventails.

Nous voilà bientôt hors de Nagasaki, roulant grand train dans la verte montagne, montant, montant toujours. D'abord nous suivons un torrent large et profond, dans le lit duquel des blocs de granit se dressent partout comme des menhirs, les uns naturels, les autres érigés de main d'homme et vaguement taillés en forme de dieux ; au milieu des verdures et de l'eau jaillissante, on les voit surgir, simples rochers quelquefois, ou bien fantômes gris, ayant des embryons de bras et des ébauches de figures. — Les

Japonais ne peuvent laisser la nature naturelle ; jusque dans ses recoins sauvages, il faut qu'ils lui impriment une certaine préciosité mignonne ou bien qu'ils l'arrangent en cauchemar, en grimace. — Nous roulons très vite, très vite, secoués, balancés ; même sur les pentes raides, les jarrets de nos coureurs ne faiblissent pas, et nous continuons de nous élever par une route en zigzags de serpent.

Une route aussi belle que nos routes de France, — avec des fils télégraphiques, dont la présence surprend au milieu de ces arbres inconnus.

Vers midi, à la rage ardente du soleil, arrêt dans une maison-de-thé, — qui est au bord du chemin, hospitalière, dans un renfoncement ombreux et frais de la montagne. Une source bruissante est amenée dans la maison même, paraît sortir, comme par miracle, d'un vase en bambou, puis tombe dans un bassin où sont tenus, sous l'eau claire, des œufs, des fruits, des fleurs. Nous mangeons des pastèques roses, refroidies dans cette fontaine et ayant un goût de sorbet.

Repris notre route.

Nous arrivons maintenant tout en haut de cette chaîne de montagnes qui entoure Nagasaki comme une muraille. Bientôt nous allons découvrir le pays au delà. Pour le moment nous courons dans des régions élevées, où tout est vert, admirablement vert. Les cigales font partout leur grande musique et de larges papillons volent au-dessus des herbages.

On sent bien pourtant que ce n'est pas l'éternelle quiétude chaude, morne, des pays des tropiques. Non, c'est la splendeur de l'*été*, de l'été des régions tempérées ; c'est la verdure plus délicate des plantes annuelles qui poussent au printemps ; ce sont les fouillis d'herbes hautes et frêles qui, à l'automne, vont mourir ; c'est le charme plus éphémère d'une saison comme les nôtres ; — l'accablement délicieux de nos campagnes à nous, par les brûlantes après-midi de septembre. Ces forêts, suspendues aux pentes des collines, jouent, dans les lointains, celles d'Europe ; on dirait nos châtaigniers, nos hêtres. Et ces petits hameaux, aux toits de chaume ou de tuiles grises, qui apparaissaient çà et là groupés dans les vallées, ne dépaysent pas, ressemblent aussi aux nôtres. Le Japon n'est plus indiqué par rien de précis, — et maintenant ces lieux me rappellent certains sites ensoleillés des Alpes ou de la Savoie.

De très près seulement, les plantes étonnent, presque toutes inconnues ; les papillons qui passent sont trop grands, trop bizarres ; les senteurs diffèrent. Et puis, dans ces villages aperçus au loin, on cherche des yeux quelque église, quelque vieux clocher comme dans notre Europe, et on n'en découvre nulle part. Aux coins des routes, ni croix ni calvaires. Non, sur les tranquillités de ces campagnes, sur leur sommeil silencieux de midi, veillent des dieux étranges qui n'ont pas de parenté avec ceux d'Occident...

Ayant atteint le point supérieur de cette première muraille de montagnes, nous voyons, de l'autre côté, s'ouvrir en avant de nous une plaine immense, unie comme une steppe verte tout en velours, avec une baie lointaine où la mer vient mourir.

Par des chemins en lacets qui fuient devant nous, il va falloir descendre dans cette plaine, disent nos djins, la franchir tout entière, — et dépasser encore ces collines qui sont au bout, fermant notre grand horizon.

Cela nous effraie ; jamais nous ne nous serions figuré que c'était si loin, ce temple... Comment ferons-nous pour être de retour cette nuit ?

Arrivés au bas des lacets rapides, nous faisons halte dans un bois de très haute futaie, où se tient à l'ombre un vieux temple en granit, d'aspect sournois, consacré au dieu du riz. Sur l'autel, il y a des renards blancs, assis dans une pose hiératique et montrant leurs dents par un méchant rictus. — Des petits ruisseaux clairs circulent sous les arbres de ce bois, dont le feuillage est immobile et noir.

Une bande de porteurs et de porteuses vient faire halte avec nous dans ce lieu frais : très bruyante et enfantine compagnie, vêtue de loques misérables en coton bleu. Parmi eux, des *mousmés* bien jolies, porteuses aussi par métier, ayant les hanches solides et la figure cuivrée. Ils sont une cinquantaine pour le moins, tenant des fardeaux dans des paniers au bout de longues hampes : c'est un convoi de marchandises, une caravane humaine. On en rencontre ainsi beaucoup sur les routes de cette île de Kiu-Siu, où ne circulent ni chevaux ni voitures, et pas encore de chemins de fer comme à Niphon, la grande île très civilisée.

A travers la plaine, nos djins reposés nous roulent avec une extrême vitesse, en courant à toutes jambes. Ils enlèvent un à un leurs vêtements qui les gênent, et ils les déposent, trempés de sueur, dans nos petits chars sous nos pieds.

C'est une rizière immense que nous franchissons ainsi, au grand éclat blanc du soleil de midi suspendu seul au beau milieu d'un ciel sans nuage. Une rizière unie, d'une couleur tendre et printanière, entretenue par des milliers d'invisibles petits canaux d'eau courante ; autour de nous, elle est vide et monotone autant que le ciel tendu sur nos têtes, et aussi verte qu'il est bleu.

La route est belle toujours, et ces surprenants fils de télégraphe continuent de courir au bord, accrochés à des poteaux comme chez nous. Avec cette ceinture de montagnes éloignées qui nous entourent, un peu voilées dans un brouillard de soleil, on dirait de plus en plus un site d'Europe : les plaines de la Lombardie, par exemple, ses pâturages uniformes, avec les Alpes à l'horizon. Seulement, il fait plus chaud.

Notre troisième halte est au bout de cette steppe, au bord d'un torrent, à l'entrée d'un grand village, dans une maison-de-thé.

Nos djins, pour se réconforter, se font servir des platées de riz cuit à l'eau et les mangent à l'aide de baguettes avec une grâce féminine. Les gens s'attroupent autour de nous : des mousmés, en grand nombre, nous examinent avec des curiosités polies et souriantes. Bientôt tous les bébés du lieu sont assemblés aussi pour nous voir.

Il y en a un, de ces bébés jaunes, qui nous fait une grande pitié ; un enfant hydropique, ayant une jolie figure douce. Il tient à deux mains son petit ventre nu, tout gonflé, qui sûrement le fera bientôt mourir.

Nous lui donnons des sous nippons, et alors un sourire de joie, un regard de reconnaissance profonde nous sont adressés par ce pauvre petit être qui ne nous reverra jamais et qui certainement va rentrer sous peu dans la terre japonaise.

Les maisonnettes de ce village sont pareilles à celles de Nagasaki, en bois, en papier, avec les mêmes nattes bien propres. Le long de la grande rue, il y a des boutiques où l'on vend différentes petites choses amusantes, et beaucoup d'assiettes, de tasses et théières; mais, au lieu de grosse poterie comme dans nos campagnes, tout cela est en fine porcelaine ornée de gentils dessins légers.

Nous traversons une autre chaîne de collines, plus basses, et nous voici dans une autre plaine, avec des rizières encore, des fossés remplis de roseaux et de lotus. Nos djins, qui ont fini leur déshabillement progressif, sont nus à présent. La sueur ruisselle sur leur peau fauve. L'un des miens, qui est de la province d'Ouari renommée pour ses tatoueurs, a le corps littéralement couvert de dessins d'une étrangeté raffinée. Sur ses épaules, d'un bleu uniformément sombre, court une guirlande de pivoines d'un rose éclatant et d'un dessin exquis. Une dame en costume d'apparat occupe le milieu de son dos, et les vêtements brodés de cette singulière personne descendent le long de ses reins jusqu'à ses vigoureuses cuisses de coureur.

Au bord d'un autre torrent nos djins s'arrêtent, légèrement essoufflés, et nous prient de descendre. Le chemin cesse d'être carrossable; il va falloir passer à gué sur des pierres et continuer à pied, par des sentiers qui tout à l'heure s'enfonceront dans la montagne et dans les bois.

L'un d'eux reste là, préposé à la garde des chars; les autres nous suivent pour nous guider.

Bientôt nous voilà grimpant, sous une ombre épaisse, parmi les rochers, les racines, les fougères, dans des sentiers de forêt. Quelque vieille idole de granit se dresse de loin en loin, rongée, moussue, informe, nous rappelant que nous sommes sur le chemin d'un sanctuaire...

... Je me sens très incapable d'exprimer l'émotion de souvenir, inattendue, poignante, qui me vient tout à coup dans ces sentiers pleins d'ombre. Cette nuit verte sous des arbres immenses, ces fougères trop grandes, ces senteurs de mousses, et, en avant de moi, ces hommes dont la peau est d'une couleur de cuivre, tout cela brusquement me transporte à travers les années et les distances, en Océanie, dans les grands bois de Fatahua, jadis familiers... En différents pays du monde, où j'ai promené ma vie depuis mon départ de l'*île délicieuse,* j'ai éprouvé déjà souvent de ces rappels douloureux, me frappant comme une lueur d'éclair et puis s'évanouissant aussitôt pour ne plus me laisser qu'une angoisse vague, — fugitive aussi...

Mais le trouble qui se fait en dedans de moi-même, au souvenir de cet indicible charme polynésien, est localisé dans des couches profondes antérieures peut-être à mon existence actuelle. Quand j'essaie d'en parler, je sens que je touche à un ordre de choses à peine compréhensibles, ténébreuses même pour moi...

Plus loin, dans une région plus élevée de la montagne, nous pénétrons sous une futaie de cryptomérias (les cèdres japonais). Le feuillage de ceux-ci est grêle, rare et d'une nuance sombre ; ils sont si pressés, si hauts, si minces, si droits, qu'on dirait d'un champ de roseaux gigantesques. Un torrent d'eau très froide coule à grand bruit sous son ombre, dans un lit de pierres grises.

Enfin des marches apparaissent devant nous ; puis un premier portique, déformé par les siècles, et nous entrons dans une sorte de cour, encaissée entre des rochers et remplie d'herbes folles, où sont des dieux monolithes, à haute coiffure, à visage taché de lichen, assis en rang comme pour tenir conseil.

Un second portique vient après, en bois de cèdre, d'une forme compliquée et très cornue. A droite et à gauche, chacun dans sa cage grillée de fer, les deux gardiens inévitables de toutes les entrées de temple : le monstre bleu et le monstre rouge, essayant encore de menacer avec leurs vieux gestes de fureur. Ils sont criblés de prières sur papier mâché, que des pèlerins, en passant, leur ont jetées ; ils en ont partout, sur le corps, sur la figure, dans les yeux, les rendant plus horribles à voir.

La seconde cour, plus encaissée encore, a, comme la première, un aspect d'abandon, de ruine. C'est une sorte de préau solitaire et on y entend, dès l'arrivée, le fracas d'une cascade invisible et comme un bouillonnement d'eau souterraine. Les fidèles ne viennent là qu'à certaines époques de l'année, et, entre deux pèlerinages, les herbes ont le loisir d'envahir les dalles. Il y pousse aussi des cycas longs et frêles, montant le plus haut possible leurs touffes de plumes vertes pour chercher le soleil. Et le temple se trouve au fond, surplombé par des roches verticales d'où pendent des lianes, des racines enchevêtrées comme des chevelures.

En Chine, en Annam, au Japon, c'est l'usage de cacher ainsi des temples n'importe où, au milieu des bois, dans le demi-jour des vallées profondes comme des puits, même dans l'obscurité verdâtre des cavernes ; ou bien de les jeter hardiment au-dessus des abîmes, de les percher sur les sommets désolés des plus hautes montagnes. Les hommes d'Extrême-Asie pensent que les dieux se complaisent en des sites singuliers et rares.

L'entrée du sanctuaire est close, mais, à travers les barreaux à jour de la porte, on voit briller à l'intérieur quelques idoles dorées, tranquillement assises sur d'antiques sièges en laque rouge.

Par elle-même, elle n'a rien de bien particulier, cette pagode ; elle ressemble à toutes celles des campagnes japonaises ; c'est un peu partout la même chose. Son étrangeté lui vient seulement du lieu qu'elle occupe : derrière elle, presque à la toucher, la vallée finit brusquement, fermée, bouchée par la montagne à pic, et, dans le recoin qui reste entre ses murs et les parois abruptes d'alentour, la cascade entendue tout à l'heure tombe avec son grand bruit éternel ; il y a là une sorte de bassin sinistre, de gouffre d'enfer, où la gerbe d'eau lancée d'en haut dans le vide bouillonne et se tourmente, toute blanche d'écume entre des rochers noirs.

Nos coureurs se jettent avidement dans ce bain glacé, et nagent, et plongent, avec des petits cris enfantins, en jouant sous cette douche énorme. Alors nous aussi, séduits pour les avoir regardés, nous quittons nos vêtements et nous faisons comme eux.

Pendant que nous nous reposons après, sur les pierres du bord, vivifiés délicieusement par ce froid, nous recevons une visite inattendue : un pauvre vieux singe et sa pauvre vieille guenon (le bonze gardien et sa femme) sortent du temple, par une petite porte latérale, et viennent nous faire des révérences.

Ils nous préparent, sur notre demande, une dînette à leur manière. Elle est composée de riz et de poissons imperceptibles, pêchés au vol dans la cascade. Ils nous la servent dans de fines tasses bleues, sur de gentils plateaux en laque, — et nous la partageons avec nos djins, assis tous ensemble devant le gouffre bruissant, dans la buée fraîche et les gouttelettes d'eau.

— Comme nous sommes loin de chez nous ! dit Yves, devenu rêveur subitement.

Oh ! oui, en effet ; c'est certain ; c'est même d'une telle évidence que sa réflexion, à première vue, semble avoir la profondeur de celles que M. La Palisse faisait dans son temps. Mais je comprends qu'il m'ait exprimé ce sentiment-là, car, au même moment, je l'éprouvais comme lui. Il est incontestable qu'ici nous sommes beaucoup, beaucoup plus loin de France que ce matin à bord de la *Triomphante*. Tant qu'on reste sur son propre navire, sur cette maison voyageuse qu'on a amenée avec soi, on est au milieu de figures et d'habitudes du pays, et tout cela fait illusion. Dans les grandes villes même, — comme Nagasaki par exemple, — où il y a du mouvement, des paquebots, des marins, on n'a pas bien la notion de ces distances infinies. Non, mais c'est dans le calme des lieux isolés, étranges comme celui-ci, et surtout c'est quand le soleil baisse comme à présent, qu'on se sent effroyablement loin du foyer.

A peine une heure de repos et il faut repartir. Les djins ont pris une vigueur nouvelle dans cette eau si froide et ils filent encore plus vite, avec des bonds de chèvre, qui nous font sauter nous-mêmes dans nos chars.

Traversé les mêmes plaines, les mêmes rizières, les mêmes torrents et les mêmes villages, — plus tristes, ainsi vus au crépuscule. Des milliers de crabes gris, sortis de leurs trous à la fraîcheur du soir, s'enfuient devant nous sur le chemin.

Au pied de la dernière chaîne de montagnes, celle qui nous sépare de Nagasaki, il est nuit close et nous allumons nos lanternes.

Nos coureurs, toujours nus, vont leur train rapide, — infatigables, s'excitant par des cris. La nuit est douce, tiède, — en haut très étoilée et en bas pleine de petits feux imperceptibles : vers luisants enfouis sous les hautes herbes, lucioles voltigeant dans les bambous comme des étincelles. Les cigales, naturellement, chantent un grand ensemble nocturne et leur bruit devient de plus en plus sonore à mesure que nous nous élevons dans les régions boisées qui entourent Nagasaki. Tous ces fouillis si verts, tous ces bois suspendus qui, dans le jour, étaient d'une si éclatante couleur, font à présent des masses d'un noir intense, les unes surplombant nos têtes, les autres perdues dans des profondeurs sous nos pieds.

Souvent nous rencontrons des groupes de personnes en voyage, piétons modestes, ou gens de qualité dans des chars à djins ; tous portent au bout de bâtonnets des lanternes de route, qui sont de gros ballons blancs ou rouges, peinturlurés de fleurs et d'oiseaux. C'est que le chemin où nous sommes sert de grande voie de communication avec l'intérieur de cette île Kiu-Siu, et, même la nuit, il est très fréquenté ; au-dessus et au-dessous de nous, dans les lacets obscurs, nous voyons beaucoup de ces lumières multicolores trembloter parmi les branches d'arbre.

Vers onze heures, halte au hasard, très haut sur la montagne, dans une maison-de-thé ; — une auberge vieille et pauvre, à l'usage sans doute des hommes de peine, des porteurs. Les gens, à moitié endormis, rallument leurs petites lampes et leurs petits fourneaux pour nous faire du thé.

Ils nous le servent sous la véranda, au grand air frais, dans l'obscurité bleuâtre, aux étoiles.

Alors Yves est repris par ces impressions enfantines « d'éloignement du foyer » qu'il avait déjà eues là-bas, dans le gouffre noir où tombait la cascade : « Comme on est perdu ici », dit-il encore. — Et il calcule que le soleil, au moment où il nous quittait tout à l'heure, venait de se lever sur Trémeulé-en-Toulven, — et que c'est justement aujourd'hui le second dimanche de septembre, jour de ce grand pardon auquel nous assistions tous deux l'an dernier, dans les bois de chênes, au son des cornemuses... Que de choses encore ont changé et passé, depuis ce *pardon* de l'année dernière...

Il est plus de minuit quand nous sommes de retour à Nagasaki ; mais comme il y avait fête religieuse à la pagode d'Osueva, les maisons-de-thé sont encore pleines de monde, et les rues éclairées.

Là-haut, chez nous, Chrysanthème et Oyouki nous attendaient, étendues, légèrement endormies.

Dans le bassin bleu, sur le toit de madame Prune, nous mettons à tremper une gerbe de fougères rares, cueillies dans la forêt, et puis nous nous endormons d'un lourd sommeil sous nos moustiquaires de gaze.

VIII

Lettre de Loti au lieutenant Marcel Sémézies

« Nagasaki, faubourg de Djiou-Djien-Dji, 23 juillet (1885)

Mon cher Lieutenant, il y a une éternité que j'ai l'intention de vous écrire [...]. Un peu de calme depuis une quinzaine de jours, sur des nattes blanches, dans une petite maison de papier, parmi les jardins et la verdure. C'est à deux ou trois cents mètres de haut sur la montagne, et Nagasaki s'étale au loin sous mes pieds, avec ses marchés, ses bazars et ses temples.

J'ai épousé la semaine dernière pour un mois renouvelable, devant les autorités nippones, une certaine Okané-San qui partage mon logis suspendu. Vous avez déjà vu sur tous les éventails cette figure de poupée, des épingles piquées en soleil dans les cheveux, et cette tunique collant au bas des jambes avec une traîne en queue de lézard. Notre logis n'est meublé que de petits paravents, de petits tabourets bizarres où reposent des vases de fleurs. Avec cela un grand Boudha doré sortant d'un lotus. De notre balcon la vue est incomparable.

Nous ne descendons que le soir, par des sentiers de chèvres, pour aller nous amuser en ville dans les bazars, les maisons de thé et les théâtres. Sur les minuit nous remontons au logis, avec des lanternes au bout de longs bâtons. Chez nous la lampe brûle toujours devant le Boudha souriant, les moustiques dansent des rondes autour avec les papillons de nuit. Par précaution contre ces bêtes nous nous enveloppons pour dormir dans un velum de gaze bleue.

Je parierais qu'à distance ces choses vont vous charmer. Eh bien ! moi, elles m'assomment. J'ai beau faire, je ne puis me prendre à ces figures de paravent, à ce Japon maniéré et bébête. Tout cela me semble une pitoyable comédie, et quand je suis seul avec ma femme devant ce panorama de montagnes et de pagodes, je m'ennuie à pleurer. [...]

Mon papier est très élégant, notez cela, et choisi par Okané chez les plus fashionables vendeurs. »

Cette lettre a été publiée dans le *Bulletin* de l'Association internationale des Amis de Pierre Loti, N° 3, septembre 1933.

BIBLIOGRAPHIE

I. *Ouvrages généraux :*

Roland BARTHES : Préface à Aziyadé, in *Nouveaux Essais critiques,* Seuil, 1972 (le retour de la critique contemporaine à Loti).

Lesley BLANCH : *Pierre Loti,* Seghers, 1986 (biographie).

Alain BUISINE : *Tombeau de Loti,* aux Amateurs du Livre, 1988 (à ce jour l'essai le plus complet sur l'œuvre de Loti).

Claude FARRÈRE : *Loti,* Flammarion, 1930 (souvenirs d'un ami et contemporain).

Claude FARRÈRE : *Cent dessins de Pierre Loti commentés par,* Tours, Arrault, 1948.

Christian GENET : *Pierre Loti l'enchanteur,* chez l'auteur, 17260 Gémozac, 1988 (copieuse iconographie).

Risto LAIŇOVIC : *Les thèmes romantiques dans l'œuvre de Pierre Loti,* thèse doctorat d'université, Paris III, 1977 (étude utile).

François LE TARGAT : *A la recherche de Pierre Loti,* Seghers, 1974 (biographie).

Alain QUELLA-VILLÉGER : *Pierre Loti l'incompris,* Presses de la Renaissance, 1986 (biographie et essai insistant sur le rôle politique de Loti).

Louis de ROBERT : *De Loti à Proust,* Souvenirs et confidences, Flammarion, 1928.

Odette VALENCE, et Samuel PIERRE-LOTI VIAUD : *La Famille de Pierre Loti,* Calmann-Lévy, 1940 (livre de souvenirs réunis par une amie et par le fils de Loti).

Une bibliographie très complète des livres et articles consacrés à Loti et à son œuvre se trouve dans l'ouvrage de A. Quella-Villéger.

On consultera, par ailleurs, la collection des *Cahiers Pierre Loti*, publiés de 1952 à 1979. Ainsi que la *Revue Pierre Loti*, 1980-1988.

II. *Sur (et autour de)* Madame Chrysanthème

Roland BARTHES : *L'Empire des signes*, Skira, 1970.
Chantal EDEL : *Mukashi-Mukashi*, Arthaud, 1984 (photos du Japon ancien accompagnées de textes de Loti).
Suetoshi FUNAOKA : *Pierre Loti et l'Extrême-Orient, du Journal à l'Œuvre*, librairie-édition France Tosho, Tokyo, 1988.
Emile GUIMET : *Promenades japonaises*, Institut national des langues et civilisations orientales, 1875.
Henri MICHAUX : *Un barbare en Asie*, Gallimard, 1933.
Jean-Yves MOLLIER : *L'Argent et les lettres*, Fayard, 1988.
Alain QUELLA-VILLÉGER : *Pierre Loti l'incompris*, chapitre VII : « Les Malheurs de Madame Chrysanthème », Presses de la Renaissance, 1986.
— Préface à *Madame Chrysanthème* suivie de *Femmes japonaises* (Pardès, 1988).
Félix REGAMEY : *Le Cahier rose de Madame Chrysanthème*, Bibliothèque artistique et littéraire, 1894.
Victor SEGALEN : *Essai sur l'exotisme, Une esthétique du divers*, Fata Morgana, 1978.

Pierre Loti en Chine et au Japon, Catalogue de l'exposition de Rochefort-sur-Mer, juin-septembre 1986 (photos et articles).
Le Japon de Pierre Loti, ouvrage collectif sous la direction d'Alain Quella-Villéger, éd. Revue Pierre Loti, avril 1989. Cet ouvrage, outre des illustrations et une bibliographie, comprend les articles suivants : « La représentation littéraire du Japon dans *Madame Chrysanthème* » (G. Siary) — Qui était Madame Chrysanthème ? (S. Funaoka) ; Loti photographié par Uyeno (D. Hervé) ; Le souvenir de P. Loti au Japon (A. Quella-Villéger) ; La pagode japonaise de la maison de P. Loti à Rochefort (M.-P. Bault) ; *Madame Chrysanthème*, vu par Anatole France ; Ryûnosuke Akutagawa et P. Loti (S. Funaoka) ; *Madame Chrysanthème* au théâtre (J. Legrand). (La photographie présentée comme étant celle d'Okané-San (Madame Chrysanthème) est contestée par certains...)

CHRONOLOGIE

Nous avons donné, proportionnellement, davantage de renseignements sur les premières années de la vie de Julien et sur le début de la carrière de Pierre Loti. Pour ne pas surcharger cette chronologie, nous donnons à part la liste des œuvres complètes de Loti (empruntée à l'ouvrage de A. Quella-Villéger, *Pierre Loti l'incompris*).

1850 : Le 14 janvier, naissance à Rochefort de Louis-Marie-Julien Viaud, troisième enfant de Nadine (Texier) et de Jean-Théodore Viaud, secrétaire en chef à la mairie (puis receveur municipal).

1854 : A Saint-Pierre-d'Oléron, vente de la maison de famille des Texier (que Loti rachètera en 1899).

1858 : Août-septembre : séjour à Oléron à La Brée avec Marie (amourette avec Véronique).
Décembre : mort de la grand-mère Viaud ; départ du frère aîné, Gustave, chirurgien de marine, pour la Polynésie.

1859 : Julien est élève pour une année (en septième) de l'institution protestante Bernard-Palissy.

1861 : Vacances d'été avec Marie, sa sœur, à Bretenoux (Lot), chez un oncle, Pierre Bon. Ils y retourneront en 1862 et 1863.

1862 : De septembre à décembre : séjour de Gustave à Rochefort.
Octobre : entrée de Julien au collège.

1863 : Septembre : Julien écrit à Gustave qu'il a pris la décision de devenir marin.
Fiançailles de Marie avec son cousin Armand Bon.

1864 : Août : mariage de Marie et d'Armand. Ils s'installent à Saint-Porchaire, au sud de Rochefort. Leur fille, Ninette, tiendra une grande place dans les affections de son oncle.

1865 : 10 mars : mort de Gustave (maladies tropicales) à bord de l'*Alphée*, dans l'océan Indien.
12 juin : mort de Lucette Duplais, grande amie d'enfance, à son retour de Guyane.

1866 : A Saint-Porchaire, Julien est initié « au grand mystère de la vie » par une Gitane un peu plus âgée que lui.
Septembre : les Viaud, qui connaissent des difficultés financières, sont obligés de louer une partie de la maison familiale, après avoir supprimé les leçons de piano et d'équitation de Julien.
Jean-Théodore, le père, est accusé de vol par la mairie. Il passe quelques jours en prison. Il sera acquitté en février 1868.
9 octobre : départ de Julien pour Paris afin de préparer au lycée Napoléon (Henri-IV) le concours d'entrée à l'École navale. Il loge, rue de l'Estrapade, dans une pension tenue par Aimé Bon, frère d'Armand.
Novembre : Julien commence à rédiger son Journal intime, qu'il tiendra à peu près régulièrement jusqu'en 1918 (et qu'il expurgera dans les dernières années de sa vie).

1867 : 12 juillet : Julien passe le concours d'entrée à Navale ; reçu 40e sur 60.
Octobre : Julien arrive à Brest sur le *Borda*, navire-école de la Marine nationale. Nombreux séjours à l'hôpital durant ses années d'école ; vacances d'été à Rochefort.

1868 : Février : mort de la grand-mère Texier.
Août : première sortie de Julien en mer, sur le *Bougainville* (depuis Cherbourg).

1869 : Octobre : embarquement sur le *Jean-Bart* (jusqu'en août 1870).
Campagne d'instruction en Méditerranée, Brésil, États-Unis, Canada.
Amitié avec Joseph Bernard (le « John » du *Mariage de*

Loti) qui l'aide à essayer de sauver la maison familiale de plus en plus menacée.

1870 : 8 juin : mort de Jean-Théodore Viaud.
8 août : embarquement sur le *Decrès* (jusqu'au 15 mars 1871).
Guerre en Manche, mer du Nord, Baltique.

1871 : Henry Duplais, le frère de Lucette, conseille à Julien, majeur, de racheter la maison familiale. Julien ne sera libéré de ses dettes qu'en 1880.
Mars : embarquement sur le *Vaudreuil* (avec J. Bernard) : Amérique latine, détroit de Magellan. A Valparaiso, en novembre, embarquement sur la *Flore* : île de Pâques, Tahiti (janvier-mars 1872), San Francisco, Montevideo, Rio. Julien envoie des dessins de l'île de Pâques et de Tahiti à *L'Illustration*. A Tahiti, il visite la case de son frère Gustave, retrouve la femme que celui-ci avait aimée. Lui-même reçoit le prénom de « Loti » (ou Rôti : rose ? laurier-rose ?).

1873 : à Rochefort pour quelques mois.
Juin : nommé enseigne de vaisseau.
Septembre : embarquement (avec J. Bernard) sur le *Pétrel* : campagne du Sénégal (encore des dessins pour *L'Illustration*). A Saint-Louis, passion malheureuse pour une femme mariée ; Julien est transféré sur *L'Espadon* à Dakar.

1874 : Octobre : voyage à Genève pour revoir la femme de Saint-Louis du Sénégal et son fils présumé. Échec. En 1882, Julien renoncera à tout droit sur ce fils.

1875 : Mise en congé. Stage de six mois à l'École de gymnastique de Joinville. Fin de l'amitié avec J. Bernard.

1876 : Avril : numéro d'acrobatie au Cirque Étrusque à Toulon, où Loti est stationné depuis le 17 février sur la *Couronne*.
Mai : départ pour le Levant via Athènes. A Salonique du 16 mai à la fin de juillet. Il y rencontre Hakidjé (Aziyadé). Envoie dessins et articles au *Monde illustré*.
1er août : départ pour Constantinople. Loti embarque sur le *Gladiateur*, navire stationnaire de l'Ambassade de France à Constantinople. Hakidjé le rejoint le 4 décembre. Quand il n'est pas à bord, Loti s'est installé à Pera, puis à Hadjikeuï.

1877 : Janvier-mars : toujours à Constantinople ; Loti s'est installé dans le vieux quartier musulman d'Eyoub.
17 mars : le *Gladiateur* quitte Constantinople.
8 mai : retour à Toulon ; puis Rochefort, Lorient, et Brest, embarquement sur le *Tonnerre*. A Brest, il retrouve le matelot Pierre Le Cor (héros de *Mon frère Yves*) ; découverte de la Bretagne.

1878 : Sur la *Moselle*, côtes bretonnes.
Février : séjour à la Trappe de Bricquebec (il en fera un second en 1879).
A Paris, il fréquente Sarah Bernhardt (qu'il connaît sans doute depuis 1875).

1879 : 20 janvier : publication d'*Aziyadé*, sans nom d'auteur (« extrait des notes et lettres d'un lieutenant de la Marine anglaise [...] mort le 27 octobre 1877 ») chez Calmann Lévy, qui publiera tous ses livres, à une ou deux exceptions près.
Service à la caserne Saint-Maurice à Rochefort.

1880 : Sur le *Friedland* en Méditerranée (Algérie, Adriatique) ; reportages au *Monde illustré*, signés Pierre Loti.
Mars : publication de *Le Mariage de Loti — Rarahu*, par « l'auteur d'*Aziyadé* ». Le roman est d'abord paru en feuilleton dans *La Nouvelle Revue* de Juliette Adam qui devient la protectrice littéraire de Loti.
Amitié avec A. Daudet.

1881 : Février : nommé lieutenant de vaisseau.
Septembre : *Le Roman d'un spahi*, signé Pierre Loti.

1882 : Rencontre à Brest d'une jeune femme bretonne, « l'Islandaise », qu'il tentera d'épouser, sans succès.
Novembre : *Fleurs d'ennui* (en collaboration avec « Plumkett », pseudonyme de Lucien Jousselin qui a contribué à la publication des premiers romans).

1883 : De mai à décembre : sur *L'Atalante*, campagne du Tonkin. Loti publie trois articles dans *Le Figaro* pour dénoncer les massacres du corps expéditionnaire. Scandale. Il est rappelé en métropole et affecté au bureau du port à Rochefort.
Octobre : *Mon frère Yves*.

1885 : nouvel embarquement pour l'Extrême-Orient sur le *Mytho* puis la *Triomphante* : guerre avec la Chine, blocus de Formose jusqu'au second traité de Tien-Tsin (juin).
8 juillet-12 août : séjour à Nagasaki pour les réparations

du navire. Loti « épouse » une Japonaise de dix-huit ans, Okané-San, épisode qui deviendra *Madame Chrysanthème*.

1886 : *Pêcheur d'Islande*.
21 octobre : mariage avec Blanche Franc de Ferrière.

1887 : Septembre-octobre : congé, voyage en Roumanie (auprès de la reine Élisabeth, sa traductrice sous le nom de Carmen Sylva) et à Constantinople où il apprend la mort d'Hakidjé et de Memet (Achmet), et visite les cimetières où ils sont inhumés.
Décembre : *Madame Chrysanthème*.

1889 : 17 mars : naissance de son fils Samuel (en 1887, Blanche avait fait une fausse couche).
Avril-mai : en mission officielle au Maroc.

1890 : Avril-mai : nouveau séjour à Bucarest et à Constantinople.
Mai : *Le Roman d'un enfant*.

1891 : Mai : élection à l'Académie française à sa seconde tentative.
Il est alors en Méditerranée sur le *Formidable*.

1892 : 7 avril : réception à l'Académie. Son discours est un pamphlet contre le naturalisme. Zola, à son insu, assiste à la séance.
Décembre : affecté à Hendaye.

1893 : Rencontre de Crucita, jeune Basque espagnole, que Loti installe à Rochefort le 1er septembre 1894. Il aura d'elle trois enfants, Raymond, Edmond et Léo.

1894 : Février-mai : voyage privé en Terre Sainte (Jérusalem, Arabie, Damas, Baalbek, Turquie).
Installation dans la maison d'Hendaye (« Bakhar-Etchea ») qu'il achètera en 1904.

1896 : 10 novembre : mort de Nadine Viaud, la mère de Loti.

1898 : Mis à la retraite d'office. Il obtient d'être réintégré en 1900 et promu capitaine de frégate.

1899 : Novembre : pour le ministère des Affaires étrangères, voyage en Inde et en Perse (jusqu'en juin 1900).

1900 : Sur le *Redoutable* : campagne d'Extrême-Orient, révolte des Boxers en Chine.

1901 : Novembre-décembre : pèlerinage aux ruines d'Angkor.

1902 : Au retour de Chine, Loti installe une salle chinoise dans la maison de Rochefort qu'il a commencé à transformer en 1877, y aménageant successivement une salle turque, une chambre arabe, une pagode japonaise (disparue depuis), une immense salle gothique (en 1895, il achète une maison mitoyenne, puis une autre en 1897), des salons Louis XV et Louis XVI, une salle à manger Renaissance, une chambre des momies, la mosquée. Il y donne des fêtes célèbres (dîner Louis XI, fête arabe, représentation de *Salammbô,* du 4e acte des *Huguenots* de Meyerbeer, etc.).

1903-4 : A Constantinople sur le *Vautour.* Il y rencontre trois femmes (dont une Française « Marc Hélys ») : victime d'une mystification qui conduira à l'écriture des *Désenchantées* (1906), livre sur la condition de la femme turque. Il profite d'une remise en état de la tombe d'Aziyadé pour faire faire une copie de la stèle qu'il place au cimetière — et emporte l'original qu'il installera en 1905 dans la mosquée de sa maison de Rochefort.

1905-6 : A Rochefort, commandant du Dépôt.
Août : nommé capitaine de vaisseau.

1907 : Janvier-mai : voyage privé en Égypte et en Arabie.
Août : mis en résidence conditionnelle jusqu'à sa retraite.

1909 : Voyage officiel à Londres.
Sa femme se retire en Dordogne (elle mourra en 1940).

1910 : 14 janvier : mis à la retraite après quarante-deux ans de service dont douze ans à la mer.
Août-octobre : voyage à Constantinople.

1912 : Septembre-octobre : voyage aux États-Unis.

1913 : 25 avril : gala Pierre Loti en hommage à l'écrivain.
Août-septembre : voyage en Turquie.

1914 : Loti veut reprendre du service.
Septembre : agent de liaison de Gallieni.

1915 : A l'état-major des armées de Champagne.
Négociations avec la Turquie.

1916 : Pétain refuse de le laisser venir à Verdun.
A l'état-major des armées de l'Est.

1917 : 29 juin : baptême de l'air sur le front.
Mission en Italie.

1918 : Démobilisé puis réintégré.
1er juin : départ définitif de l'armée. Citation à l'ordre de l'armée.
Août : il abandonne la rédaction du Journal intime qu'il tenait depuis plus de cinquante ans.

1919 : Nouvelles actions en faveur de la Turquie et de Mustapha Kemal.

1921 : Première attaque de paralysie.

1923 : 10 juin : Loti meurt à Hendaye, qu'il a voulu revoir.
12 juin : funérailles nationales à Rochefort. Il est enterré dans le jardin de la maison de Saint-Pierre-d'Oléron.

La maison natale de Pierre Loti à Rochefort est devenue un musée. Cette maison est peut-être l'œuvre la plus originale de Loti, celle où se traduisent le plus clairement ses goûts et ses fantasmes. S'y juxtaposent et s'y imbriquent une maison bourgeoise traditionnelle et des reconstitutions médiévale et orientale. S'y exposent les souvenirs des voyages comme les reliques de l'enfance.

CHRONOLOGIE DE L'ŒUVRE

Il s'agit des œuvres publiées en volume par Pierre Loti de son vivant et, sauf mention contraire, chez son éditeur Calmann-Lévy. La date ici mentionnée est celle de la mise en vente en librairie.

janvier	1879	*Aziyadé — Stamboul 1876-1877* (anonyme).
mars	1880	*Le Mariage de Loti — Rarahu* (« par l'auteur d'Aziyadé »).
septembre	1881	*Le Roman d'un spahi.*
novembre	1882	*Fleurs d'ennui — Pasquala Ivanovitch — Voyage au Monténégro — Suleïma.*
octobre	1883	*Mon frère Yves.*
octobre	1884	*Les Trois Dames de la Kasbah* (1re édition séparée).
juin	1886	*Pêcheur d'Islande.*
juin	1887	*Propos d'exil.*
décembre	1887	*Madame Chrysanthème* (éd. du *Figaro* datée 1888. En mars 1893 chez Calmann-Lévy).
mars	1889	*Japoneries d'automne.*
janvier	1890	*Au Maroc.*
mai	1890	*Le Roman d'un enfant.*
juillet	1891	*Le Livre de la Pitié et de la Mort.*
novembre	1891	*L'Œuvre de Pen-Bron, près Le Croisic* (brochure de 14 p., Tours, Mame, paru dans le volume précédent).
février	1892	*Fantôme d'Orient.*
mars	1892	*Constantinople* (Paris, Hachette, « Les capitales du monde » ; livraison IV, repris dans *L'Exilée*).

avril	1892	*Matelot* (A. Lemerre éd., chez Calmann-Lévy en avril 1898).
avril	1892	*Discours de réception à l'Académie française* (Firmin-Didot, puis Calmann-Lévy).
février	1893	*Une exilée* (Lyon, Soc. des Amis des Livres. Chez Calmann-Lévy en mai 1893, sous le titre *L'Exilée*).
février	1893	*Pêcheur d'Islande* (adaptation théâtrale, en collaboration avec Louis Tiercelin).
septembre	1893	*La Grotte d'Isturitz* (tiré à part du *Bull. de la Soc. des Sciences et des Arts de Bayonne*, réimprimé dans *Figures et choses qui passaient*).
janvier	1895	*Le Désert.*
mars	1895	*Jérusalem.*
octobre	1895	*La Galilée* (daté 1896).
avril	1897	*Ramuntcho.*
novembre	1897	*Figures et choses qui passaient* (daté 1898).
mars	1898	*L'Ile du rêve,* en collaboration avec André Alexandre et Georges Hartmann.
novembre	1898	*Judith Renaudin* (théâtre).
novembre	1898	*Rapport sur les prix de vertu* (Firmin-Didot puis Calmann-Lévy) repris sous le titre « Ceux devant qui il faudrait plier le genou » dans *Le Château de la Belle-au-bois-dormant.*
décembre	1898	*La Chanson des vieux époux* (Lib. Conquet-Carteret, daté 1899 ; tiré du *Livre de la Pitié et de la Mort*).
mai	1899	*Reflets sur la sombre route.*
février	1902	*Les Derniers Jours de Pékin.*
mars	1903	*L'Inde (sans les Anglais).*
mars	1904	*Vers Ispahan.*
novembre	1904	*Le Roi Lear,* de Shakespeare (traduction en collaboration avec Émile Vedel).
avril	1905	*La Troisième Jeunesse de Madame Prune.*
juillet	1906	*Les Désenchantées.*
avril	1908	*Ramuntcho* (théâtre).
janvier	1909	*La Mort de Philae.*

décembre	1909	*Discours à l'Académie pour la réception de Jean Aicard* (Firmin-Didot, puis Calmann-Lévy).
mai	1910	*Le Château de la Belle-au-bois-dormant.*
juin	1911	*La Fille du ciel* (théâtre, en collaboration avec Judith Gautier).
février	1912	*Un pèlerin d'Angkor.*
janvier	1913	*Turquie agonisante* (plusieurs éditions revues et augmentées la même année).
juillet	1915	*La Grande Barbarie (fragments)* (repris dans *La Hyène enragée*).
octobre	1915	*A Soissons* (Firmin-Didot, repris dans *La Hyène enragée*).
juillet	1916	*La Hyène enragée.*
mars	1917	*Quelques aspects du vertige mondial* (Flammarion ; chez Calmann-Lévy en mai 1928).
juillet	1917	*L'Outrage des barbares* (impr. Malherbe, Paris, repris dans *L'Horreur allemande*).
juin	1918	*Court intermède de charme au milieu de l'horreur* (Paris, impr. Renouard, extrait de *Revue des Deux Mondes*, repris dans *L'Horreur allemande*).
août	1918	*L'Horreur allemande.*
janvier	1919	*Les Massacres d'Arménie.*
janvier	1919	*Les alliés qu'il nous faudrait* (brochure à compte d'auteur, Bayonne, A. Foltzer ; augmentée chez Calmann-Lévy en nov.).
juillet	1919	*Mon premier grand chagrin* (Champion, réimprimé dans le volume suivant).
décembre	1919	*Prime jeunesse.*
septembre	1920	*La Mort de notre chère France en Orient.*
septembre	1921	*Suprêmes visions d'Orient* (en collaboration avec son fils Samuel Viaud).

Posthumes :

juillet	1923	*Un jeune officier pauvre* (en collaboration avec son fils : fragments de journal intime, 1870-1878).
juillet	1925	*Journal intime* — 1878-1881 (publié par son fils Samuel Viaud).
janvier	1929	*Journal intime* — 1882-1885 (publié par son fils Samuel Viaud).

TABLE

Préface 5
Publication et Texte 37

MADAME CHRYSANTHÈME 41

Notes 233
Annexes 237
I. Livret de l'opéra (extraits) 239
II. F. Régamey, *Le Cahier rose de Madame Chrysanthème* (extraits) 242
III. E. Guimet, *Promenades japonaises* (extraits) 248
IV. Correspondances entre le Journal et le Roman (dates) 250
V. Correspondances entre le Journal et le Roman (noms propres) 251
VI. Journal de Loti à Nagasaki (début et fin) 252
VII. « Une page oubliée de *Madame Chrysanthème* » 256
VIII. Lettre de P. Loti à un ami (Nagasaki) 265

Bibliographie 267
Chronologie 271
Chronologie de l'œuvre 281

GF Flammarion

11/01/161972-I-2011 – Impr. MAURY Imprimeur, 45330 Malesherbes.
N° d'édition L.01EHPNFG0570.C007. – Mai 1990. – Printed in France.